LE TOURBILLON
DES PASSIONS

Déjà parus
dans la collection « Turquoise »

CAROLINE PASQUIER

LE TOURBILLON
DES PASSIONS

PRESSES DE LA CITÉ

9797 rue Tolhurst, Montréal H3L 2Z7 - Tél.: 387-7316

Pour A. Palladio.

PREMIERE PARTIE

LE JARDIN SECRET

CHAPITRE I

COLETTE la regarda au fond des yeux :

— Alors c'est définitif? Tu es sûre que tu ne veux pas me laisser y aller à ta place?

Elles se tenaient toutes deux dans une petite pièce mal éclairée dont les murs étaient en partie cachés par des empilements de cartons. Celle qui venait de parler était une brune de taille moyenne, d'une trentaine d'années environ. Devant le mutisme de sa compagne, elle fit quelques pas et s'installa sur une espèce de bureau encombré de rouleaux de ficelle et de papiers d'emballage. Elle conclut enfin :

— J'ai plus d'expérience que toi, j'ai l'habitude.

Sophie Levasseur, la plus jeune et la plus jolie, réprima un mouvement d'impatience. Bien sûr, elle aurait préféré que ce soit Colette qui se charge de cette corvée! Mais il s'agissait d'un défi qu'elle s'était juré de relever, et chercher à la retenir, comme le faisait en ce moment son amie, ne servait qu'à lui rendre la tâche plus ardue. Elle répondit néanmoins avec calme :

— Merci, tu es gentille. Mais il faudra bien que je me charge des clientes difficiles un jour ou l'autre, alors autant commencer aujourd'hui.

Colette Florent changea alors de tactique :

— Fais bien attention, n'oublie pas de t'imposer. Une main de fer dans un gant de velours. Si jamais cette femme sentait la moindre faiblesse en toi, elle en profiterait...

Elle ajouta après un silence lourd de sous-entendus : comme elle l'a déjà fait, n'est-ce pas, à ce que j'ai cru comprendre? Tu ne veux rien me dire, mais je ne suis pas une imbécile, je les connais bien ces clientes-là.

Au souvenir de l'humiliation que lui avait fait subir Mme Albert-Lassalle — humiliation qu'elle n'aurait avouée à personne —, Sophie frémit. Colette avait raison : cette femme n'hésiterait pas à recommencer en s'appuyant sur l'avantage qu'elle avait pris sur la jeune fille lors du premier et catastrophique essayage.

Sophie essaya de plaisanter :

— Voyons, je suis majeure et vaccinée, rétorqua-t-elle sans conviction.

— Personne ne l'empêchera de se plaindre de toi à la direction. Au besoin, elle inventera un prétexte qui te fasse licencier. C'est la pire de nos clientes, elle adore s'attaquer aux débutantes, parce que ce sont celles qui pleurent le plus facilement. Toi, fit-elle en pointant son doigt vers Sophie, toi, je parie qu'elle ne te pardonne pas de n'avoir pas cédé. Ce n'est pas dans ton caractère de pleurer, je le sais. Maintenant, elle veut sa revanche. C'est pour ça qu'elle tient à ce que ce soit toi qui viennes faire cet essayage à domicile.

Sophie fixait obstinément le linoléum noir du plancher. Colette fut émue par la fermeté de la jeune fille, une fermeté contrastant avec la délicatesse de son visage, dont le menton paraissait d'autant plus fin qu'elle baissait la tête. De longs cils jetaient une ombre frémissante sur la saillie de ses pommettes et mettaient en valeur un petit nez droit, à peine retroussé, qui accusait ses vingt ans. Colette ne put se retenir d'ébouriffer les courtes boucles blondes qui, sans l'extrême féminité de ses traits, auraient fait passer Sophie pour un adolescent.

— Ne rentre pas dans son jeu, poursuivit-elle. Dis à M. Jean que tu as une course à faire et laisse-moi y aller à ta place. Je t'assure que ça vaudra mieux pour toi. Quant à moi, je m'en tirerai très bien, j'en ai assez vu de ces femmes, je sais comment les tenir.

— Écoute, Colette. Tu m'as souvent aidée, mais, aujourd'hui, ce n'est pas pareil. Il faut que j'y aille, il *faut*, tu comprends! D'ailleurs, comment apprendrais-je le métier, si je me dérobais devant toutes les difficultés?

Comment faire comprendre à Colette, sans la blesser, que dorénavant, le meilleur service à lui rendre serait de la laisser se débrouiller toute seule?

Les atouts ne lui manquaient pas : vive, intelligente, Sophie était surtout très jolie. Grande et mince, elle possédait un charme nordique avec ses yeux bleu pervenche et ses cheveux blonds. Ce physique exceptionnel lui avait valu de se faire engager chez Jean Rousseau séance tenante, en dépit de la foule de postulantes. En effet, dans le magasin de la rue du Faubourg-Saint-Honoré, les vendeuses étaient fréquemment sollicitées pour présenter les robes lors des collections, car le nombre de modèles était tel que les mannequins de la maison n'y suffisaient pas.

Sophie séduisait par son naturel et elle n'avait

pas besoin de se maquiller pour éclipser la beauté des femmes sophistiquées parmi lesquelles elle évoluait. Elle s'habillait avec simplicité, car elle avait trop de goût pour ne pas se rendre compte que des artifices auraient masqué tout ce que sa personne recelait de grâce innée. Inconsciemment, Sophie était élégante et Jean Rousseau — en professionel — n'avait pas manqué de le noter en la voyant pour la première fois. Le célèbre arbitre international de la mode avait détaillé sa tenue et remarqué avec satisfaction que Sophie savait relever par de tout petits riens des vêtements assez ordinaires, car elle était trop pauvre pour s'habiller chez un grand faiseur. Elle mariait les formes et les couleurs sans se préoccuper de suivre les modes et l'on aurait cherché en vain, chez elle, toute faute de goût. Cette qualité rarissime l'avait rapidement fait remarquer dans le haut lieu de la distinction vestimentaire qu'était la maison Jean Rousseau, et les clientes commençaient à solliciter de plus en plus souvent les conseils de la toute jeune vendeuse. Quant à son charme et à sa gentillesse, ils avaient achevé de faire la conquête de ces femmes du monde. Enfin, presque, car demeuraient des irréductibles, comme Mme Albert-Lassalle. Mais celles-là, aucune vendeuse n'aurait pu les satisfaire. Elles avaient besoin d'humilier les êtres en leur faisant sentir une supériorité illusoire conférée par l'argent.

Rendue aux arguments de Sophie, Colette finit par dire :

— D'accord, Sophie, tu as raison. Je ne peux pas m'empêcher de jouer les mères poules, mais c'est pour ton bien.

— Assez traîné, je file, maintenant! A tout à l'heure!

Et, avant que Colette ait eu le temps d'ajouter un mot, elle s'élança hors de la pièce.

Quelques secondes plus tard, elle faisait une apparition penaude sur le seuil. Elle expliqua :

— J'ai oublié la robe...

— Tiens, la voilà, dit Colette en lui tendant un carton. Dépêche-toi, et tâche de ne pas oublier ta tête, cette fois-ci!

— Oh, ne t'en fais pas, va! Non, ce que je pourrais oublier ici, c'est mon cœur, parce qu'il préfère être avec toi!

Un petit clignement d'yeux avait accompagné ces paroles.

— Ton cœur, comme tu dis, tu ferais bien de me le laisser, répondit Colette avec une feinte gravité.

— Qu'est-ce que tu veux dire?

— Tu pourrais rencontrer au Queen Victoria un célèbre bourreau des cœurs... Toutes les femmes tombent amoureuses de lui. Il est très séduisant; mais il passe pour n'en aimer aucune.

Sophie, pensant que sa compagne plaisantait, fit remarquer :

— Je comprends, maintenant, pourquoi tu insistais tellement pour y aller à ma place.

— Qu'est-ce que tu vas chercher, encore? Tu oublies que je me suis mariée il y a dix ans et que j'aime mon mari!

— Alors, c'est vrai, ce que tu dis? Il existe vraiment, ce don Juan?

— Puisque je te le dis.

— Et comment s'appelle-t-il?

— Fabrice Albert-Lassalle.

Sophie avait préféré se rendre à pied à l'hôtel Queen Victoria. Celui-ci se trouvait de l'autre côté de la Seine, sur la rive gauche. Aussi la jeune fille cheminait-elle d'un bon pas tout en goûtant les caresses des premiers rayons de soleil de l'année. On était au printemps. Les feuilles sortaient à peine de leurs bourgeons et déposaient un voile vert pâle sur les branches des arbres. Après avoir traversé la rue de Rivoli, elle s'engagea dans l'allée principale du jardin des Tuileries et dut se faire violence pour ne pas s'arrêter et contempler la perspective qui s'offrait à ses yeux, depuis l'endroit où elle se tenait, jusqu'au Carrousel, dont l'arche laissait deviner au loin les ornements architecturaux d'un Louvre délavé dans la brume.

Elle lutta contre le mouvement instinctif de ses yeux qui se laissaient mener vers l'horizon en suivant les rangées rectilignes de marronniers, et regarda de chaque côté de l'allée. Là, elle découvrit devant des statues posées sur les gazons, des bancs de pierre où étaient assises des femmes aux yeux rêveurs, des enfants courant derrière des ballons, de vieux messieurs vêtus d'épais pardessus prostrés sur des chaises de jardin dont la peinture s'écaillait, et toute une vie particulière contrastant avec la beauté de ce lieu régenté par une géométrie irréelle. Sophie aimait les parcs et les jardins depuis sa tendre enfance. Progressivement, ils lui avaient livré l'accès de tous leurs charmes. Toute jeune, elle en avait adoré les attractions, comme les carrousels, les balançoires et les toboggans, dont elle tirait un plaisir d'autant plus vif que sa mère ne manquait jamais de lui acheter une sucette ou un bâton de réglisse lorsqu'elle s'y rendait avec elle chaque jeudi après-midi. Aujourd'hui, un tout autre sentiment laissait la jeune fille fascinée par le jardin des Tuileries, mais il aurait été malhonnête de ne pas reconnaître qu'il n'y entrait pas la nostalgie de son enfance.

Ses parents n'avaient jamais disposé de beaucoup de moyens. Aussi avaient-ils choisi de résider dans la proche banlieue de Paris, à Rueil-Malmaison, dans un pavillon de quatre étages divisé en appartements. Ils en occupaient, à trois, le rez-de-chaussée. Vu de la rue, le petit immeuble était plutôt banal, avec ses murs de crépi grisâtre, son toit de tuiles brunes et ses fenêtres sans volets. En revanche, l'intérieur recelait une curiosité qui animait toute la maison et en rendait le séjour pittoresque : le second étage avait été transformé en église orthodoxe par une colonie de Russes blancs. Ils venaient prier là tous les samedis soir et les dimanches, et avaient transformé les deux pièces austères de l'appartement, au point de les rendre méconnaissables : un iconostase aux dorures rutilantes, des icônes, un nombre incalculable de cierges et de veilleuses, des tentures de velours rouge foncé et des tapis aux couleurs chatoyantes conféraient à cet endroit une atmosphère délibérément baroque. La beauté des chants, la voix de stentor du pope et les exhalaisons d'encens avaient achevé d'en faire un coin de la Sainte Russie. Assister à une messe, dans cette église, revenait à se laisser éblouir par un opéra somptueux, car tout y était mis en œuvre pour frapper les sens avec violence, depuis la vue jusqu'à l'odorat. La famille Levasseur ne se privait pas d'un tel spectacle et progressivement, ces trois Bretons en étaient venus à connaître une mentalité radicalement différente de celle que leur avaient léguée leurs ancêtres.

La largeur de vues de ses parents et leur curiosité pour tout ce qu'ils ignoraient permirent à Sophie de devenir une enfant précoce, ce qui facilita grandement ses études. Malheureusement, elle dut les interrompre à l'âge de seize ans, lorsque son père mourut sans laisser de ressources à celles qui lui survivaient. Elle demeura d'abord avec sa mère qui avait trouvé un emploi d'aide-comptable, puis elle s'installa à Paris, à la recherche d'un travail plus rémunérateur que celui de vendeuse dans une parfumerie de Rueil-Malmaison. Son engagement dans le magasin de Jean Rousseau était une consécration, mais il lui faisait regretter le petit pavillon qu'elle aimait tant. Aussi passait-elle presque tous les week-ends auprès de sa mère, dans la maison qui l'avait vue grandir.

Sophie traversa la Seine sur le pont des Arts, mais la splendeur des immeubles du quai vers lequel elle s'avançait ne la touchait guère : l'appréhension s'était à nouveau emparée d'elle. Tout à l'heure, elle avait réussi à la dominer par la seule volonté, en se forçant à plaisanter alors qu'elle n'en n'avait nulle envie. Les paroles de Colette Florent avaient fait germer une inquiétude en elle. Elle avait dit que Mme Albert-Lassalle était capable de la faire licencier en inventant au besoin un sujet de plainte... Sophie connaissait assez son amie pour savoir que ce n'était pas là une exagération. Elle-même s'était rendu compte du caractère de la cliente : la supposition de Colette Florent risquait fort de se muer en certitude dans quelques minutes.

La première rencontre de Sophie avec Mme Albert-Lassalle n'avait pas été des plus calmes...

Il était sept heures moins cinq et les cinq vendeuses commençaient à ranger le magasin, tandis que le coursier s'apprêtait à en descendre le volet, lorsqu'une grande femme d'une quarantaine d'années fit son entrée, apportant avec elle les effluves d'un parfum lourdement musqué. Un chignon savant nouait ses cheveux d'un blond qui révélait une teinture de très bonne qualité, car leur nuance roussâtre s'accordait à la perfection à ses yeux couleur de flamme. Le reste de sa tenue offrait la même recherche : un tailleur noir légèrement cintré dont la coupe parfaite mettait en valeur sa ligne de mannequin et une multitude de colliers et de bracelets en or dont les scintillements parachevaient le caractère ostentatoire de l'ensemble. Elle était belle, ou plutôt elle avait dû l'être, mais elle avait mis tant d'application à le devenir davantage, que son apparence réchauffait autant qu'une statue de marbre et donnait envie de la fuir. Une expression méprisante se lisait sur les traits de son visage violemment maquillé.

Elle resta quelques secondes sur le seuil, le menton haut, la paupière abaissée, figée dans une pose dont la signification ne pouvait échapper à personne : aucune vendeuse n'était accourue au-devant d'elle, quelle outrecuidance!

Sophie réagit la première et se précipita vers l'auguste cliente :

— Bonjour madame. Il est presque sept heures et nous devons fermer dans un instant...

La jeune fille n'eut pas le temps d'achever. D'une voix hautaine, son interlocutrice la coupa :

— Mon petit, je vois que vous êtes nouvelle, ici. Je suis Madame Albert-Lassalle, ajouta-t-elle, comme si l'énoncé de son nom, précédé de « Madame » justifiait tous les privilèges, y compris celui de se faire servir en dehors des heures d'ouverture.

Interdite, Sophie ne répondit rien, et elle lança un regard désemparé vers Colette Florent qui vint aussitôt à son aide.

— Nous sommes désolées, madame, mais aujourd'hui, c'est exceptionnel, nous travaillons avec un personnel réduit et personne ne peut rester après sept heures. En général, c'est Mme Odette, la gérante, qui se charge des clientes après la fermeture, mais vous voyez, elle n'est pas là. Revenez demain matin, nous serons enchantés de vous satisfaire.

Les poings de Mme Albert-Lassalle se crispèrent sur une petite pochette en crocodile. Après un silence, elle lâcha :

— C'est impossible demain matin : J'ai besoin d'une robe du soir immédiatement. Tout d'un coup, elle explosa : Mais enfin, c'est incroyable! Je me plaindrai à Jean!

Colette ne sachant plus quelle contenance adopter, ce fut Sophie qui tenta de la calmer :

— Si cela peut vous rendre service, madame, je peux rester un peu après la fermeture.

C'était un mensonge, Sophie ne pouvait pas rester : des cousins venaient de Bretagne pour la voir et dîner avec elle ce soir. La jeune fille s'était fait une joie de cette réunion de famille, mais elle n'avait pas hésité à la sacrifier aux désirs de la cliente. « Tant pis, je leur téléphonerai à l'hôtel dès que j'aurai une minute », se dit-elle avec mélancolie.

Tandis qu'elle voyait la gratitude se peindre sur le visage de Colette, elle poursuivit en s'adressant à Mme Albert-Lassalle :

— Vous désirez une robe du soir? Suivez-moi, je vais vous montrer nos modèles.

20

Elle laissa passer devant elle une Mme Albert-Lassalle que ce geste n'avait même pas rendue reconnaissante. Elle la fit asseoir dans l'un des salons du premier étage et s'éclipsa en entendant les chuchotements des employés qui sortaient.

Quelques minutes plus tard, elle revint avec quelques modèles : ils déplurent tous à la cliente qui décida, subitement, qu'elle désirait une robe d'après-midi. « Ça, c'est un peu fort! Elle me fait rester après la fermeture parce qu'elle a besoin d'une robe du soir, et maintenant, elle change d'avis! », songea la jeune fille en serrant les dents. Elle partit néanmoins à la recherche de plusieurs robes d'après-midi.

— J'espère que ces modèles vous plairont, fit-elle à son retour. Tenez, celui-là devrait vous aller, ce bleu conviendra très bien à vos cheveux blonds.

La femme émit un grincement métallique :

— Hum... Hum... je ne sais pas... j'en ai déjà une qui lui ressemble... Elle demanda après un silence : Vous n'avez rien d'autre? Je ne sais pas ce que j'ai aujourd'hui, mais rien ne me plaît...

Sophie comprit enfin que le grincement métallique était un rire.

— C'est tout ce que nous avons, madame.

— Je sais, je sais, mais c'est peut-être à cause de vous. Vous êtes encore un peu pataude, ma petite, et ces robes exigent de la main qui les touche un peu plus de raffinement!

Involontairement, Sophie cacha ses mains, qu'elle avait pourtant fort belles, mais elle regretta ce geste aussitôt : Mme Albert-Lassalle l'avait remarqué et souriait victorieusement. Son visage était devenu un masque dur barré par un rictus laissant à découvert deux rangées de jaquettes étincelantes.

Sophie rougit et ne sut que dire. Un silence gênant s'empara de la pièce, dont ni les tentures de satin de soie blanche, ni le mobilier Louis XV, ni les dorures ne parvinrent à atténuer l'intensité. Seule la pensée de n'avoir pas de témoins évitait à la jeune fille de perdre tout à fait contenance, mais elle se mordait l'intérieur des lèvres et serrait les poings pour ne pas laisser éclater sa colère et son humiliation. Mme Albert-Lassalle avait tout fait pour que Sophie sorte de ses gonds. En vain. La jeune fille était déterminée à ne pas céder.

Voyant sa résistance, alors qu'elle la soupçonnait d'être au bord des larmes, la cliente émit un soupir de feinte lassitude pour annoncer :

— Finalement, je crois que je prendrai tout de même une robe du soir. Le fourreau noir, avec la traîne, apportez-le moi, mon petit, je vais le réessayer.

Elle avait prétendu trouver ce modèle détestable cinq minutes plus tôt. « Visiblement, sa mémoire défaille », pensa Sophie avec une ironie amère.

Ce dernier essayage fut rapide : Mme Albert-Lassalle paraissait fatiguée et avait momentanément rendu les armes. Mécontente de n'avoir pas réussi à venir à bout de la résistance de Sophie, elle semblait méditer les plans d'une nouvelle attaque.

Elle parla enfin :

— La traîne est un peu longue. Faites-la raccourcir de deux-trois centimètres. Vous viendrez me l'essayer chez moi. Au Queen Victoria.

Ce disant, son visage avait revêtu à nouveau le masque du sourire, tandis que son regard glacial s'abaissait sur Sophie.

Cette femme voulait-elle prendre sa revanche aujourd'hui? Sophie avait beau l'attendre de pied

22

ferme, elle n'était guère rassurée. Elle se jura de ne pas céder, «quitte à me faire renvoyer» se dit-elle, sachant qu'il lui serait difficile de retrouver un emploi intéressant. «Ce n'est pas parce que l'on est riche que l'on doit se conduire comme ça. Elle est d'une grossièreté!» songea-t-elle avec une rage grandissante en longeant le trottoir de la rue Bonaparte.

A six heures, Colette vit arriver dans le magasin une Sophie Levasseur au visage fermé.

Elle se précipita à sa rencontre :

— Alors, ça a marché?

Elle reçut pour toute réponse un «oui» à peine murmuré.

— Qu'est-ce qu'il y a, Sophie?

Sophie se détourna et partit à grandes enjambées vers l'arrière-boutique pour écarter sa compagne.

CHAPITRE II

COLETTE FLORENT rejoignit Sophie après s'être assuré qu'aucune cliente ne réclamait ses services.

— Tu en fais une tête!

Émue par l'inquiétude de son amie, la jeune fille sortit de son mutisme pour lâcher d'une voix rauque :

— Je suis renvoyée.

— Qu'est-ce que tu dis?

Le calme apparent de Sophie l'abandonna soudain. Elle haussa les épaules et répéta nerveusement :

— Je suis renvoyée. Tu as compris?

Et une expression d'amertume envahit son visage.

— Mais enfin... articula Colette avec difficulté, explique-toi! D'abord, qui te l'a dit?

— Cette question! Mme Albert-Lassalle, évidemment!

Colette se ressaisit en entendant cette réponse.

— Elle a *menacé* de te faire renvoyer, c'est bien ça?

— Oui.

— Bon, alors tu ne l'es pas encore. Tu dramatises, c'est tout.

Colette était déjà plus rassurée. Sophie leva les yeux au plafond : décidément, son amie ne comprenait rien! Elle gémit :

— Mais non! Elle a dit qu'elle téléphonerait tout de suite à M. Jean.

Colette émit un soupir de soulagement et un sourire se dessina enfin sur ses lèvres.

— C'est une menace en l'air, on l'aurait su tout de suite, au mag...

Sophie l'avait coupée.

— Pourquoi, Mme Odette ne vous a rien dit?

Une lueur d'espoir scintillait dans les yeux que les larmes menaçaient d'embuer quelques secondes plus tôt.

— Rien du tout. Elle a même répété qu'elle te trouvait adorable. Elle ne l'aurait certainement pas fait si elle avait reçu ce coup de fil. Non, dit Colette après un moment de réflexion, je pense que cette garce a voulu t'affoler, et rien de plus.

D'abord rasséréné par ces mots, le visage de Sophie reprit soudain l'air tragique qu'il avait revêtu l'instant précédent. Son amie l'interrogea :

— Qu'est-ce qu'il y a, encore?

— Mme Odette n'a pas reçu le coup de fil, mais elle peut le recevoir d'un instant à l'autre! Si tu savais...

Une ride soucieuse barra le front de Colette Florent : elle n'avait pas pensé à cela. Un long silence s'écoula, puis elle demanda :

— Mais enfin, qu'est-ce qui s'est passé exactement? Qu'est-ce que tu as pu faire, pour qu'elle veuille ton renvoi?

A ce moment, elles furent interrompues par l'apparition de la gérante. Sophie tressaillit avec violence.

25

Femme d'une cinquantaine d'années que l'embonpoint commençait à gagner et qui s'imaginait le cacher en portant des vêtements trop étroits, Mme Odette était une personne énergique. Elle ne se laissait pas émouvoir facilement, ce qui ne signifiait pas du tout qu'elle ne connaissait pas la bonté.

Elle ne prêta aucune attention à l'effroi que son arrivée avait produit sur Sophie et s'adressa aux deux vendeuses d'une voix autoritaire :

— Que faites-vous ici? On vous cherche partout, il y a plein de clientes qui attendent, dans le magasin. Allez! Au travail! Vous n'êtes pas payées pour ne rien faire, conclut-elle avec une pointe de sécheresse.

Sophie eut l'air d'une enfant prise en faute et suivit Colette qui, plus accoutumée aux semonces de Mme Odette, n'y attachait guère d'importance et s'exécutait en maugréant,

Elle chuchota à l'oreille de la jeune fille :

— A tout à l'heure, Sophie. On se retrouve à la sortie, tu me raconteras ce qui s'est passé. Allez, souris un peu...

Le pauvre sourire dont Sophie gratifia sa camarade ne pouvait dissimuler l'appréhension qui se lisait dans ses yeux.

Colette reprit furtivement :

— Tout va s'arranger, tu verras!

Une phrase de commande qui n'avait trompé ni l'une ni l'autre.

 ∞

— Alors, tu vois, je te l'avais bien dit qu'elle ne téléphonerait pas.

Colette et Sophie étaient attablées à la terrasse

d'un café du boulevard de la Madeleine, non loin du magasin.

— D'accord, mais elle peut très bien le faire demain, répliqua Sophie.

— Bon, mais raconte-moi tout, que je voie s'il y a moyen de te sortir de cette situation.

La visite avait commencé comme un rêve, qui éblouissait encore la jeune fille...

Arrivée devant le Queen Victoria, elle avait éprouvé une première surprise : elle s'attendait à un palace, elle ne vit qu'un petit hôtel, dont l'enseigne au néon ornait discrètement une façade en pierre de taille, entretenue avec soin. La porte vitrée de l'immeuble laissait entrevoir une entrée exiguë, tapissée du classique papier sombre qu'affectionnent les directeurs des établissements de deuxième catégorie.

Rassurée par la modestie d'une résidence dont Mme Albert-Lassalle ne risquerait pas de faire valoir l'opulence pour mieux écraser la petite vendeuse, Sophie tourna la poignée de cuivre poli commandant l'entrée.

Un carillon mélodieux retentit et le rideau fermant le vestibule s'agita. Il s'entrouvrit pour laisser passer un groom d'une quinzaine d'années. Il s'inclina devant la jeune fille et, avisant le carton qu'elle tenait sous le bras, il demanda d'un ton montrant qu'elle était attendue :

— Bonjour, mademoiselle, vous venez pour l'essayage de Mme Estelle Albert-Lassalle?

— Oui. La maison Jean Rousseau, fit brièvement la jeune fille, tout en se disant que le sigle du couturier imprimé sur son paquet rendait superflue cette précision.

Le garçon saisit le carton et se figea en bombant le torse avant de l'inviter à le suivre. Sophie sourit intérieurement, se demandant ce qui, de la fierté de porter un uniforme rouge avec des épaulettes, ou de la peur de passer pour un enfant, poussait le jeune groom à se mouvoir avec la raideur d'un pantin.

Elle se promettait de le taquiner là-dessus à la première occasion, lorsque le spectacle qui s'offrit à sa vue la cloua au sol et lui fit cligner les yeux.

Les rideaux du petit vestibule cachaient un hall immense, dont la lumière paraissait d'autant plus violente que Sophie sortait de la pénombre. De hautes baies vitrées donnant sur un jardin laissaient pénétrer les rayons du soleil et accentuaient la sensation d'explosion de l'espace et de la clarté, comme à la sortie d'un tunnel.

Du plafond en coupole descendait un lustre de dimensions impressionnantes, dont le style s'harmonisait aux fausses colonnes, aux statues et au grand escalier de marbre blanc qui, sur la gauche, s'élevait avec majesté jusqu'à un entresol pour se diviser en deux courbes gracieuses et grimper vers le premier étage. Là, ne subsistaient que les balustres ventrus de sa rampe le long d'une galerie.

Un tapis à motifs rouge et or et de grands bouquets multicolores disposés un peu partout réchauffaient l'éclat de cette pièce monumentale, dont l'architecte avait tenu à ce qu'elle rassemble toutes les nuances du blanc.

Sophie se remit de son éblouissement et avisa, sur sa droite, face au bureau de la réception entouré de chasseurs impassibles, quelques fauteuils confortables disposés autour de trois tables basses. Des clients devisaient dans ce petit salon placé à proximité d'une série de boutiques de luxe.

Arrêté auprès de la jeune fille, le jeune groom paraissait se divertir de sa surprise. L'éclat malicieux de ses yeux révélait qu'il était loin d'être blasé par l'effet produit par l'entrée de l'hôtel sur les nouveaux arrivants. Il laissa Sophie se remettre de son émotion, puis il la convia d'un geste de sa main gantée de blanc :

— Nous allons prendre l'ascenseur, là-bas, fit-il en désignant, au-delà du grand escalier, des portes coulissantes à moitié cachées par le piédestal d'une statue représentant Diane chasseresse.

Sophie jeta un dernier coup d'œil autour d'elle et murmura en se mettant en marche derrière le garçon :

— C'est incroyable, c'est un vrai palace.

— N'est-ce pas? Moi je suis fou de cet hôtel, lui répondit une voix masculine derrière elle.

Elle se retourna : un homme lui souriait d'un air avenant. Un complet prince-de-Galles, qui devait provenir du meilleur tailleur de Londres, des cheveux châtain clair, ondulés et coiffés avec une raie sur le côté, et un visage légèrement hâlé aux pommettes saillantes lui donnaient à la fois charme et distinction. Dans ses yeux gris, à peine bridés, se lisait un intérêt très vif pour la jeune fille.

Cet hôtel, cet homme, avec son amabilité et son sourire, tout cela paraissait irréel. Sophie se dit que celui-ci aurait pu jouer le rôle d'un figurant dans le conte de fées qu'elle était en train de vivre, et dont elle n'allait pas tarder à sortir.

Un peu abasourdie, elle ne répondit rien et

continua de marcher à côté du groom. L'homme lui emboîta le pas.

Ils arrivaient au pied de l'ascenseur, lorsqu'ils furent abordés par une femme qui s'écria joyeusement :

— Ah, te voilà! Tu ne peux pas t'empêcher de faire du charme à toutes les jolies filles que tu rencontres!

Cette constatation semblait l'avoir remplie de gaieté. Très brune, avec de longs cheveux et de grands yeux noirs dont l'éclat accentuait son type oriental, cette femme possédait une rare beauté cultivée par une robe longue et ample, parcourue de remous scintillants.

Son apparition produisit un effet identique sur la jeune fille : elle était aussi belle et aussi douce qu'une créature surnaturelle, qu'une fée venue en aide à Sophie dans un palais enchanté.

Ils entrèrent dans l'ascenseur et la femme reprit, en s'adressant à Sophie, cette fois-ci :

— Vous voyez, je le lâche cinq minutes et le voici déjà à vous poursuivre!

La jeune femme ne semblait pas lui en vouloir. Était-ce la richesse qui donnait à ces deux personnages leur délicieuse insouciance? Sophie se rappela soudain ses propres vêtements et se sentit gênée de porter la petite robe-chemisier bleu pâle des vendeuses de la maison Jean Rousseau, mais un coup d'œil furtif dans le miroir de l'ascenseur la rassura. En effet, le grand couturier en personne avait tenu à couper sur mesure l'uniforme de ses employées, et la jeune fille put constater, une fois de plus, l'élégante sobriété de sa mise.

La femme poursuivit :

— Ne faites pas attention, dit-elle comme si elle

craignait que son cavalier n'ait choqué Sophie par ses assiduités, il est ainsi. C'est une manière de rendre hommage à votre beauté.

Cette amabilité souriante mit à l'aise la jeune fille. Elle aurait aimé rester avec ces deux personnages pour faire connaissance avec eux, car ils l'intriguaient beaucoup, mais l'ascenseur s'arrêta.

— Sixième étage. C'est ici, dit le groom.

Le cœur de Sophie cessa de battre. La réalité reprenait ses droits. Elle sortit de l'ascenseur avec une hâte fébrile en dépit des « au revoir » chaleureux que lui prodiguaient les deux compagnons éphémères grâce auxquels elle avait pu oublier le but de sa visite dans cet hôtel. Elle venait de vivre un moment enchanteur, elle songea que c'était l'accalmie avant la tempête.

Distraite par la peur, Sophie suivit le groom sans prêter attention à la somptuosité du long couloir qu'ils empruntèrent. Ils cheminèrent en silence sur un épais tapis rouge-sang. Au-dessus de leurs têtes, des anges baroques menaient une folle sarabande dans un ciel peint en trompe-l'œil.

Ils s'immobilisèrent enfin devant une porte à laquelle sonna le jeune groom. Ils entendirent des pas se rapprocher, de l'autre côté de la cloison et, presque aussitôt, la porte fut ouverte brutalement. Aveuglée par la lumière, Sophie distingua une longue silhouette noire se dessiner à contre-jour dans un déshabillé de soie.

C'était elle.

— Ah! enfin, on peut dire que vous avez mis du temps!

— Bonjour, madame, j'apporte la robe. Nous l'avons retouchée, comme vous le désiriez. J'espère...

— Je sais, je sais, la coupa Mme Albert-Lassalle. Allons, dépêchez-vous, je n'ai pas de temps à perdre.

Le groom les laissa et referma la porte derrière lui. Sophie resta seule en face de cette femme, dont le ton montrait sans ambiguïté qu'elle n'avait rien oublié de leur première rencontre.

« Comment la prendre ? se dit-elle avec désespoir. Si je suis ferme, je passerai pour une insolente ; et si, au contraire, je me laisse faire, elle me poussera à bout. Et alors, je ne réponds pas de moi. Ça ne peut que mal se terminer. » D'instinct, elle opta pour une indifférence polie, souhaitant que cette attitude, tout en l'éloignant des perfidies de la cliente, n'irrite pas trop cette dernière. La jeune fille risquait en ce moment sa place, elle ne pouvait s'autoriser le moindre faux-pas.

Elles traversèrent une enfilade de salons au mobilier contemporain. En pénétrant dans le dernier, Mme Albert-Lassalle marqua un léger arrêt et se pencha au-dessus de la rampe d'un petit escalier en colimaçon descendant à l'étage inférieur. Elle prononça d'un ton métamorphosé par la douceur :

— Attendez-moi, Fabrice, j'en ai pour un instant.

Une voix mélodieuse, à la fois grave et profonde, répondit :

— Je vous accorde cinq minutes, pas plus ! Après, je vous attendrai dans le fumoir, en bas.

Ainsi la jeune fille entendait le fameux Fabrice-Albert Lassalle ! Celui que son amie avait surnommé « bourreau des cœurs » ne devait pas être très âgé, à en juger par la vivacité de son ton. « Il est certainement le mari d'Estelle Albert-Lassalle », se dit Sophie en se fondant sur la familiarité dont ils usaient l'un vis-à-vis de l'autre et que n'atténuait pas le vouvoiement de rigueur dans leur monde.

Elle se plut à l'imaginer : il devait être grand, mince, avec une belle tête brune de don Juan aux yeux d'un noir intense... Était-il un gigolo que Mme Albert-Lassalle s'était offert et avait fini par épouser? Les sonorités aristocratiques de son prénom paraissaient démentir cette hypothèse.

Elles entrèrent enfin dans une pièce de petite taille comprenant des miroirs et des placards, où régnait le plus grand désordre. Des robes froissées, des bas et des sous-vêtements traînaient un peu partout : Mme Albert-Lassalle ne rougissait pas de cet étalage, car elle espérait faire comprendre à Sophie que l'on n'a rien à cacher à une domestique. La tactique était plus subtile que celle qui aurait consisté à écraser la jeune fille par la richesse des pièces d'apparat traversées un instant plus tôt.

La femme tira la jeune fille de ces considérations par un ordre intimé sur un ton sec :

— Passez-moi la robe.

Sophie obéit en silence. Après un essayage qui ne donna lieu à aucun commentaire de la part de la terrible cliente, celle-ci déclara en désignant le fourreau :

— Bon, ça va. Vous pouvez me la laisser.

« Ouf! » pensa Sophie, à l'idée que le plus difficile était passé.

Mme Albert-Lassalle réenfilait à présent son déshabillé.

— Allez, ne restez pas plantée là comme une gourde! Rangez cette robe!

— Mais... où?

La femme montra du doigt une armoire. Ses

yeux avaient un éclat cruel et elle s'efforçait de le cacher en imprimant au reste de son visage une expression impassible.

Sophie s'approcha sans méfiance de l'armoire.

Derrière son dos, Mme Albert-Lassalle eut alors un sourire méchant. Elle s'approcha à pas de loup de la jeune fille.

Tirant délicatement sur la poignée du meuble pour l'ouvrir, Sophie sentit une résistance. Elle n'insista pas et recula en levant la tête, pour voir ce qui entravait le battant.

Un éclair de fureur brilla dans le regard de la femme : Sophie avait déjoué sa manœuvre. Tant pis, ce serait moins habile, mais elle s'y prenait autrement pour arriver à ses fins...

Sophie ayant aperçu un amas de vêtements posés sur le dessus du meuble, commençait à se hausser sur la pointe des pieds pour les repousser et vérifier que l'un d'eux n'était pas coincé entre le battant et le sommet de l'armoire...

Soudain, la jeune fille poussa un cri.

Involontairement, ses yeux s'étaient portés sur l'un des miroirs de la pièce et elle venait d'y apercevoir Mme Albert-Lassalle tapie derrière elle comme un animal prêt à bondir. Sophie effectua une volte-face, mais il était trop tard.

En une fraction de seconde, la femme s'était élancée vers le tas de vêtements l'avait tiré d'un geste violent et avait sauté en arrière. Une cuvette était cachée là. Elle venait de se déverser sur Sophie, trempant à la fois la jeune fille et le fourreau de sa cliente.

A moitié assommée par le choc, la jeune fille balbutia :

— Ah, c'est malin!

Elle toussa, s'étouffa, puis reprit :

— Vous avez cinq ans d'âge mental, ce n'est pas possible!

Mme Albert-Lassalle se taisait, un sourire victorieux sur les lèvres. Elle attendait que la jeune fille se calme pour lui assener la phrase qu'elle mûrissait depuis si longtemps.

En comédienne consommée, la femme changea brutalement d'expression, et hurla :

— Quoi? espèce de petite insolente, vous osez insinuer que c'est moi qui ai fait ça!

Stupéfaite, Sophie encaissa le coup. Elle était révoltée : le procédé était à la fois puéril et odieux.

Mme Albert-Lassalle enchaîna :

— Je me plaindrai à Jean! Vous avez abîmé ma robe, petite malpropre. Ah, regardez-vous, vous êtes belle!

La colère de la jeune fille redoubla. Elle savait combien elle devait offrir un spectacle lamentable. La cuvette contenait de l'eau sale et avait mouillé tout le côté droit de sa robe, collée à présent sur sa peau.

Sophie serra les dents pour ne pas perdre toute dignité, et lâcha avec une rage contenue :

— Je me plaindrai, moi aussi! Et on sait que je ne mens jamais, moi!

La colère feinte de Mme Albert-Lassalle se mua en joie mauvaise :

— Et même si on vous croyait, petite idiote! Est-ce que vous vous imaginez que Jean Rousseau hésiterait, entre nous deux? Entre moi, la meilleure de ses clientes, et vous, une petite vendeuse de rien du tout? Il fera semblant de me croire et vous renverra, même s'il sait que vous avez dit la vérité.

— Je vous remercie de cette leçon, je m'en souviendrai.

Mme Albert-Lassalle éclata de rire.

— Regardez-moi ça. Elle me menace, encore!

Elle fut interrompue par l'arrivée d'une femme de chambre.

— Vous tombez bien, vous. Tenez, faites nettoyer cette robe du soir toute neuve, que cette gourde a complètement abîmée. Et vous, hurla-t-elle soudain à Sophie, fichez-moi le camp, je ne veux plus vous voir!

Une demi-heure plus tard, Sophie était étendue sur l'un des transats de la terrasse. La femme de chambre l'avait d'abord emmenée dans la lingerie où elle avait nettoyé rapidement sa robe, puis elle lui avait conseillé de remettre celle-ci et de la sécher au soleil.

Elle avait eu des paroles gentilles pour la jeune fille en la quittant :

— Allons, ne vous en faites pas, nous savons bien ce qui s'est passé! Combien de fois elle l'a fait, le coup de la bassine! Y a un truc pas net chez elle, ajouta la femme de chambre en se tapotant le front.

Restée seule, Sophie se dit avec amertume que Mme Albert-Lassalle avait raison. Que valait sa parole de petite vendeuse? Et même, que valait-elle tout entière? Elle n'avait ni fortune ni relations, elle était issue d'une humble famille bretonne « montée » à Paris pour échapper à la misère qui sévissait dans son village... Autant dire qu'elle ne représentait rien du tout, vis-à-vis de gens tels que Mme Albert-Lassalle pour qui seul l'argent comptait. Sa beauté et son intelligence ne pesaient pas lourd dans la balance, et ne lui serviraient jamais qu'à devenir une domestique. Une domestique inté-ressante, tout au plus.

Sophie ferma les paupières pendant quelques secondes et s'efforça de ne plus y penser. A quoi bon remâcher tout cela?

Elle les rouvrit bientôt, en proie à une sensation bizarre. Elle regarda tout autour d'elle et aperçut, non loin d'elle, une vieille dame l'observant avec une attention soutenue. Comme la jeune fille, elle était étendue sur un transat. Elle prenait le thé. Vêtue d'un tailleur pied-de-poule d'une sobriété exquise, elle frappait surtout par l'extrême distinc-tion qui se dégageait de son visage auréolé de cheveux blancs. C'était le genre de femme dont on dit toujours «Comme elle a dû être belle!». Elle conservait de sa beauté révolue deux grands yeux myosotis reflétant à la fois l'intelligence et la bonté.

L'ombre d'un sourire passa sur les lèvres de la vieille dame. Il intrigua Sophie.

Après une nuit agitée au cours de laquelle elle put à peine dormir, la jeune fille se rendit au magasin.

A neuf heures, les employés la virent arriver, les yeux cernés et le visage pâli par la fatigue. La tristesse de son regard et de sa moue attendrirent Mme Odette :

— Eh bien, Sophie, tu n'es pas malade par hasard? Ah, au fait, j'allais oublier, j'ai quelque chose pour toi. C'est un télégramme, il est arrivé hier soir, un peu après ton départ.

La gérante se dirigea vers la caisse, suivie par une Sophie soudain réveillée par l'émotion.

Elle tendit à la jeune fille un petit papier bleu.

Cette dernière se retira au fond du magasin et l'ouvrit d'une main tremblante.

« Mademoiselle,

» Je désire réparer l'affront qui vous a été infligé et, ne sachant comment faire, je pense que je pourrais commencer par vous l'exprimer de vive voix.

» Accepteriez-vous de dîner avec moi? Je vous attendrai vendredi 20 mai, à 20 h 30, dans le jardin du Queen Victoria.

Fabrice Albert-Lassalle. »

CHAPITRE III

Durant toute la journée, Sophie eut grand-peine à contenir son excitation. Elle répondait aux clientes d'une voix obligeante mais distraite. Tout en déployant sur son comptoir les magnifiques foulards de soie à motifs de fleurs et de fruits créés par Jean Rousseau, elle ne pouvait s'empêcher de penser au télégramme, qu'elle avait rangé dans son sac à main, après l'avoir lu et relu au point de le savoir par cœur.

A l'heure du déjeuner, en allant dans un café du faubourg Saint-Honoré, elle y avait fait allusion devant Colette. Celle-ci n'avait pas été moins étonnée qu'elle.

— Ce que je comprends le moins, avait remarqué Sophie, c'est que Fabrice Albert-Lassalle parle d'un « affront ». En somme, il se désolidarise de cette femme.

Après un moment de réflexion, elle ajouta :

— Qui est-il par rapport à elle ? Son beau-frère ? Son mari, plutôt ?

— Je ne sais pas, répondit Colette. Je ne l'ai vu qu'une fois, à la boutique. Tout ce que je peux te dire, c'est que, en dehors du fait qu'il est très beau, il est nettement plus jeune qu'Estelle Albert-Lassalle : trente-cinq, trente-six ans environ.

— Bon. Peu importe.

D'un air songeur, Sophie reprit :

— Et puis, c'est elle qui était dans son tort, soit, mais rien ne l'oblige, lui, à prendre mon parti...

— Tu as l'intention d'aller à ce dîner?

— Oui, pourquoi pas? Tout cela m'intrigue. J'ai envie d'en savoir plus.

Tout en descendant de l'autobus, devant l'église Saint-Germain-des-Prés, Sophie ne cessait de réfléchir à l'initiative de Fabrice Albert-Lassalle. Peut-être Estelle avait-elle eu des remords? Peut-être ce télégramme avait-il été rédigé en accord avec elle, de façon à arranger la situation tout en ménageant la fierté de cette femme? Mais le peu que Sophie savait d'elle l'incitait à en douter.

Sans s'en rendre compte, elle fronçait les sourcils, ce qui, chez elle, était signe de perplexité.

— Quel air sérieux! s'écria en riant un inconnu qu'elle croisa au coin de la rue Jacob.

Elle sourit à son tour et s'engagea dans la rue Bonaparte. Il faisait bon pour ce début de printemps. Les fenêtres s'étaient éclairées. Des voitures klaxonnaient. Un couple élégant sortit par une porte cochère, en habit de soirée. Il était l'heure du dîner. Une vitrine d'antiquaire, plongée dans la pénombre, lui renvoya son image et Sophie y jeta un coup d'œil bref, machinal. Elle avait passé une veste de tricot sur sa robe de fin lainage bleu et blanc qui soulignait la blondeur de ses boucles. Peu maquillée, portant pour seul bijou une chaînette d'or que lui avaient offerte ses parents, elle était l'incarnation de la jeunesse et de la grâce.

Colette lui avait suggéré que, Fabrice Albert-Lassalle étant un don Juan connu du Tout-Paris, cette invitation signifiait peut-être pour lui une occasion de tenter sa chance auprès de Sophie. Mais celle-ci avait ri à cette idée : Colette dramatisait. Et puis, même si c'était vrai, elle se sentait de taille à affronter ce genre de procédé.

Elle préférait imaginer le fameux bourreau des cœurs : bel homme aux yeux noirs, il devait aussi être raffiné, un peu play-boy, avec cette assurance souriante des gens du monde... Elle en voyait chaque jour au magasin, mais elle avait toujours dû faire un effort sur elle-même pour sembler à l'aise avec eux. En tout cas, s'ils l'intimidaient, ils ne l'impressionnaient guère.

Brusquement, elle songea, comme la veille, qu'il existait en revanche un risque bien réel : perdre sa place chez Jean Rousseau, si Estelle Albert-Lassalle continuait à s'acharner contre elle. Mais, pour l'instant, elle décida de chasser cette pensée. « On verra bien. Tout à l'heure, je serai fixée. » Son optimisme naturel reprenait le dessus.

Tandis qu'elle traversait la rue pour se diriger vers l'entrée du Queen Victoria, elle croisa quelqu'un qui retint son attention : un jeune homme, ou plutôt un homme jeune, car il avait une trentaine d'années. Il n'était pas dans les habitudes de Sophie de dévisager les passants, mais celui-ci méritait une exception. De haute taille, la silhouette élancée, il avait un physique comme on en voit rarement. La nuance des cheveux était elle aussi peu commune : blond cendré, châtain doré ou, plus exactement, or mat. Légèrement hâlé, son visage était tout en finesse, avec des traits réguliers et bien dessinés. Le front haut et le menton volontaire révélaient de l'intelligence et de l'autorité. Ce que Sophie remarqua surtout, ce furent des yeux en amande, dont elle n'aurait su dire s'ils étaient bleus ou gris, mais dont la clarté la fascina. Il émanait de lui un charme indéfinissable mais prenant.

A son tour, l'inconnu se tourna vers la jeune fille et le regard qu'il lui jeta fut aussi rapide qu'incisif. Pour la première fois de sa vie, elle souhaita de toutes ses forces être belle et attirante.

Cette rencontre n'avait duré qu'une fraction de seconde. Déjà, l'inconnu entrait dans le bureau de tabac qui faisait face au Queen Victoria, pendant que Sophie pénétrait dans l'hôtel.

Le jeune groom s'avança vers elle. Tandis qu'il inclinait la tête en souriant, elle dut laisser passer quelques instants avant de se rappeler clairement pourquoi elle se trouvait là. Elle était encore sous l'impression de la rencontre qu'elle venait de faire. Elle songea avec amusement que Fabrice Albert-Lassalle, tout don Juan qu'il fût, ne pourrait que lui paraître insignifiant, par comparaison avec l'inconnu.

— Si vous voulez bien me suivre, mademoiselle, je vais vous conduire au jardin, dit le groom en ouvrant le rideau du vestibule.

Tout en traversant le hall, elle ne put s'empêcher de ralentir le pas pour contempler sur sa gauche les statues de marbre de l'escalier monumental : leur grâce atténuait l'effet théâtral que produisait l'immensité de la pièce.

Deux hommes en descendaient, qu'elle reconnut aussitôt, pour avoir vu leur photo dans les journaux. L'un était un milliardaire suisse et l'autre un prince d'Europe centrale, dont le père avait été roi avant la guerre. Ils bavardaient avec animation en allemand. Sans doute étaient-ils des habitués du palace.

Arrivé devant les hautes baies vitrées, le petit groom s'effaça et pénétra dans le jardin à la suite de Sophie. Une dizaine de projecteurs répandaient des flots de lumière argentée sur quatre grands marronniers, qui entouraient une pelouse ovale, et sur les massifs de fleurs qui bordaient l'allée circulaire. Sophie s'approcha du centre de la pelouse, surprise par l'odeur d'herbe fraîchement coupée qui émanait du jardin : un îlot de campagne au cœur de Paris...

Le groom contourna quelques tables blanches et lui avança une chaise au dossier orné d'arabesques de métal. L'endroit était désert. Des fenêtres illuminées du restaurant, lui parvenaient des bribes de conversations et des rires cristallins.

— Monsieur s'est absenté un moment, expliqua le jeune groom d'un air plein de compoction qui amusa Sophie. Il va revenir d'une seconde à l'autre... D'ailleurs, le voici.

Tandis que le groom se retirait, Sophie se retourna vers l'entrée du jardin. Elle réprima un sursaut : l'homme qui franchissait la pelouse d'un pas rapide, un sourire aux lèvres, n'était autre que l'inconnu qu'elle avait croisé quelques minutes plus tôt.

— Fabrice Albert-Lassalle, dit-il, en s'inclinant sur la main qu'elle lui tendait.

Sophie buvait à petites lampées la vodka que Fabrice lui avait fait apporter, sans oser vider d'un seul trait le minuscule gobelet d'argent ciselé, comme font les Russes. Il y avait à peine cinq minutes qu'elle se trouvait dans ce jardin, et cependant elle avait l'impression qu'un espace infranchissable la séparait du reste du monde. Mais elle aurait été bien en peine d'expliquer pourquoi.

— Je suis très heureux que vous soyez venue, dit-il, vraiment très heureux. Mon télégramme a dû vous étonner, n'est-ce pas? ajouta-t-il à brûle-pourpoint, avec une lueur malicieuse dans ses yeux en amande.

— Oui, bien sûr, enfin, non... balbutia Sophie.

Toute assurance l'avait quittée. Ce qui l'intimidait le plus, c'était moins la beauté de Fabrice Albert-Lassalle ou le charme profond de sa voix grave que la gentillesse avec laquelle il s'adressait à elle. Elle avait assez d'intuition pour percevoir que cette amabilité n'était pas seulement due à une courtoisie de bon aloi. L'homme qui était assis près d'elle, de l'autre côté du guéridon à liqueurs, cherchait sincèrement à la mettre à l'aise.

— Je désirais vous voir seul à seule avant le dîner, reprit-il. Celui-ci aura lieu dans la salle à manger de ma grand-mère. C'est une personne adorable, vous verrez. D'ailleurs, vous vous êtes entre-aperçues, je crois.

Elle se souvint de la vieille dame qui l'avait observée, sur la terrasse, quand elle était allée faire sécher sa robe.

— Les circonstances où elle m'a vue étaient assez pitoyables, je le crains, fit-elle avec un sourire qui dissimulait mal son embarras.

Il eut un geste vague, comme pour chasser un détail sans importance. Sophie remarqua l'élégance de ses mains, à la fois allongées et énergiques.

— Oh, murmura-t-il, il faudrait être aveugle

pour croire que cet incident était votre faute...
J'aimerais vous voir oublier cela...

Puis, s'interrompant, il se pencha vers elle et
poursuivit, soudain grave :

— Comprenez-moi, je ne voudrais pas que vous
pensiez que je vous ai fait venir pour essayer
d'arranger les choses, comme on dit. Je voudrais
seulement que vous sachiez que ce genre d'incident
ne se produira plus. J'y veillerai... Je travaillais
dans la pièce voisine quand cela s'est passé, et j'ai
tout entendu... Il y a des limites.

Il avait prononcé cette dernière phrase d'un ton
sec. Sophie se demandait en quels termes il était
avec Estelle Albert-Lassalle. Celle-ci, pourtant, lui
avait parlé avec douceur. Peut-être craignait-elle de
lui déplaire? Et, en voyant l'éclat dur de ses yeux à
ce moment-là, la jeune fille comprit que cet homme aux manières raffinées pouvait être capable
d'autorité et d'intransigeance.

Elle se rappela une remarque de Colette : il
devait avoir une dizaine d'années de moins qu'Estelle Albert-Lassalle. « Trop jeune pour être son mari,
et pas assez pour être son fils », songea-t-elle. Elle
lui lança un coup d'œil à la dérobée : non, décidément, c'était le dernier homme qu'on aurait pu
prendre pour un gigolo.

Il lui proposa une cigarette, qu'elle accepta, et il
en prit une. Comme il approchait le briquet, la
flamme éclaira de biais son visage. Et, d'un coup,
la jeune fille sut ce qui l'avait frappée, dans la
rue, au premier regard : le charme de Fabrice
Albert-Lassalle tenait, autant qu'à sa beauté, à la
force de sa personnalité... une personnalité que
maintenant elle devinait complexe, peut-être contradictoire.

— Voyez-vous, reprit-il en exhalant une bouffée de fumée, je n'ai pas à justifier l'attitude d'Estelle ni à la juger, mais c'est quelqu'un de... d'impulsif. Cela peut prendre au dépourvu ceux qui ne la connaissent pas, comme ça a dû être le cas pour vous. Les autres ont l'habitude, fit-il, avec un demi-sourire plein d'humour. Mais ne craignez rien pour votre emploi : ma belle-mère ne mettra pas sa menace à exécution. Elle me l'a dit.

Sophie ne put réprimer un soupir de soulagement.

— Je vous remercie de m'avoir rassurée, répondit-elle simplement, avant même de remarquer qu'il venait d'employer le mot « belle-mère », ce qui la laissa perplexe.

Il lui lança un regard vif, où elle crut déceler de la compréhension. Il avait agi avec tact, et elle lui en savait gré. Sa belle-mère ne devait pas être facile à convaincre.

Avec sa tendance à passer quelquefois du coq à l'âne, elle se demanda s'il s'était rendu compte que la jeune fille sur laquelle il s'était retourné dans la rue et celle qui se tenait devant lui étaient une seule et même personne. Oui, certainement, se dit-elle. Mais elle sentait obscurément qu'il aurait été maladroit d'évoquer cette rencontre. Mieux encore, elle se plaisait à y voir une sorte de connivence secrète avec Fabrice Albert-Lassalle. La gêne qui l'avait paralysée au début de leur entretien s'évanouissait. Quelque chose en cet homme lui inspirait une totale confiance.

— La première fois que je suis venue ici, reprit-elle avec gaieté, j'ai été stupéfaite : ce palace tellement magnifique se cachant derrière une façade somme toute assez banale...

— Ah, cela vous a frappée? Figurez-vous qu'il y a des gens qui ne remarquent pas ce contraste!

Il semblait enchanté et, ce sujet lui tenant à cœur, il se mit à parler avec volubilité :

— C'est justement cela que j'aime le plus dans l'hôtel. Il faut y être entré pour savoir tout ce qu'il a d'extraordinaire. Autrement, on passe devant sans faire attention. Seuls les habitués et les amis sont au courant. C'est en quelque sorte un monde caché.

— Et un jardin secret, ajouta Sophie en désignant la pelouse et les arbres. Cela fait penser à un trésor dissimulé dans un coffre... ou derrière un mur, comme ici.

— Exactement. En somme, il faut aimer cette maison pour la connaître vraiment, alors que souvent, il se produit l'inverse : on n'aime que ce que l'on connaît... Oui, je comprends que vous ayez été sensible au plaisir de la découverte.

Ils échangèrent un coup d'œil complice. Rarement, Sophie avait ressenti une telle impression d'accord, d'entente profonde avec quelqu'un.

— Est-ce que l'hôtel a une histoire? demanda-t-elle. Ou bien est-il indiscret de vous poser la question?

— Pas du tout. Au contraire, vous m'auriez déçu en ne me la posant pas... L'hôtel occupe tout le pâté de maisons ou, plus exactement, son emplacement. On n'a gardé que les façades. Construire le palais à l'intérieur a dû être difficile : car c'était un palais, à l'origine. Ces travaux ont eu lieu il y a cent ans. Ils ont été commandités par un prince chypriote, qui rêvait d'un palais en plein Paris, mais un palais mystérieux, invisible, pour ainsi dire. C'est pourquoi il y a en dessous de nous un véritable dédale de souterrains...

« Plus tard, quand ce prince est retourné dans son pays, ma famille a racheté le palais. On donnait des fêtes, à l'époque, on invitait des artistes et des écrivains, comme du temps du prince. A la mort de mon grand-père, ma grand-mère a fait moderniser le palais, tout en respectant le style original. Elle l'a converti en hôtel... et, depuis quelques années, j'en suis le directeur. Voilà, vous savez tout...

— C'est une histoire aussi extraordinaire que l'hôtel lui-même, commenta Sophie. Et pourquoi ce nom de Queen Victoria ?

— Justement, parce que c'est un nom plutôt banal. Ma grand-mère a gardé l'idée du prince, en la transposant : que cette maison passe inaperçue, de l'extérieur... Je dois ajouter que ceux qui viennent ici sont des habitués plus que des clients : des amis ou alors des gens qui savent apprécier ce qui fait le caractère de cette maison. Nous refusons d'accueillir ceux qui ne verraient dans le Queen Victoria qu'un palace luxueux et qui voudraient y habiter sous prétexte qu'ils en ont les moyens.

Elle acquiesça. Fabrice Albert-Lassalle avait su lui faire partager sa conviction. Mais cela tenait aussi au timbre chaleureux de sa voix, à la clarté de son regard, en un mot aux mille détails qui révélaient une personnalité attachante. Sophie se prit à envier l'épouse qui avait la chance de vivre auprès d'un homme tel que lui.

Il s'était levé et, d'un geste à peine esquissé, il l'invita à l'accompagner.

— La salle à manger privée se trouve au premier, au-dessus du restaurant, dit-il, comme ils se dirigeaient vers le hall. Ah, j'ai oublié de vous dire : Estelle sera là. Il se peut que des amis nous rejoignent après le dîner. Ils ont une soirée ailleurs pour le moment.

Chose étrange, la jeune fille redoutait de moins en moins de se trouver en présence d'Estelle Albert-Lassalle. Tout se passait comme si son compagnon avait réussi à lui communiquer sa propre aisance. Aussi eut-elle la sensation d'évoluer dans un rêve lumineux quand il lui fit emprunter le couloir qui menait à l'ascenseur contigu au grand salon. Il appuya sur le bouton d'appel.

— Votre femme doit adorer cet endroit, remarqua étourdiment Sophie.

Elle s'aperçut une seconde trop tard qu'il n'avait pas mentionné la présence d'une épouse au dîner. Était-il en mauvais termes avec elle?

— Ma femme? Quelle femme?

Sa stupeur se teintait d'amusement.

— Eh bien, oui, articula Sophie, décontenancée, vous m'avez dit que Mme Albert-Lassalle était votre belle-mère...

— Ah... je vois.

Cette fois, il riait. L'ascenseur arrivait. Fabrice ouvrit la porte en s'effaçant devant Sophie et actionna le bouton du premier étage. En un éclair, elle comprit la vérité et se mit à rire à son tour.

— Bien sûr! Où avais-je la tête? Puisque vous portez tous deux le même nom, c'est que Mme Albert-Lassalle est la femme de votre père.

— C'est cela. Moi, je suis ce qu'on appelle un célibataire endurci. Enfin... je ne suis tout de même pas centenaire. Estelle est la seconde épouse de mon père. Ma mère est morte très jeune.

L'ascenseur s'arrêtait sans bruit. Avec une expression lointaine, comme s'il plongeait dans ses souvenirs, Fabrice ajouta:

— Mon père vivait pour son métier. Il était homme d'affaires. Une forte personnalité... Depuis qu'il est mort, voilà trois ans, il y a comme un vide dans cette maison.

Il eut un sourire bref et triste, dicté par la pudeur. Il venait de découvrir à la jeune fille une partie de ses sentiments les plus personnels, et elle en fut inexplicablement touchée.

Sophie hésitait. Comment fallait-il s'y prendre pour attraper une part de la selle d'agneau que lui présentait le domestique? En désespoir de cause, elle décida de procéder comme elle en avait l'habitude. Tant pis si elle commettait une erreur de savoir-vivre : c'était toujours préférable au ridicule de tout renverser en voulant trop bien faire.

Une fois l'opération réussie, elle reposa le couvert de service dans le plat et regarda tour à tour les autres convives.

Depuis le début du repas, Fabrice avait égayé la soirée en racontant des anecdotes plaisantes sur le milieu de la haute couture. Sophie, qui connaissait au moins de nom les gens dont il parlait, lui avait donné la réplique sur le même ton.

La vieille Mme Albert-Lassalle présidait, face à son petit-fils. Vêtue d'un ensemble rayé qui accentuait l'éclat de ses immenses yeux couleur de myosotis, elle était encore ravissante, malgré son grand âge. La délicatesse de son visage et l'impression de fragilité qui émanait d'elle la faisaient ressembler à un pastel du XVIIIᵉ siècle. Elle avait accueilli la jeune fille avec une cordialité qui avait tout de suite mis celle-ci à l'aise. A une remarque de Fabrice, Sophie avait noté que la vieille dame se prénommait Bérengère. Ce nom aux sonorités douces et surannées lui convenait à merveille.

Elle se tourna vers la jeune fille :

— Ce que vous nous avez dit de l'hôtel me comble de plaisir, mademoiselle. Ainsi, cette maison compte ce soir une amie de plus.

Sophie lui rendit son sourire et lança un coup d'œil à Fabrice. Ce dernier semblait heureux de la sympathie qui unissait déjà les deux femmes. Seule Estelle Albert-Lassalle ne participait pas à cette atmosphère détendue. Dès que Sophie avait pénétré dans la salle à manger, au bras de Fabrice, elle s'était avancée avec une bonne humeur trop visible pour n'être pas forcée. La jeune fille devinait que cette amabilité signifiait seulement un changement de tactique. Elle se demanda pour la centième fois pourquoi cette femme éprouvait de l'animosité contre elle. Jalousie féminine envers une femme plus jeune et plus jolie? Désir de rabaisser une simple vendeuse? Oui, mais Bérengère et Fabrice Albert-Lassalle appartenaient à la même famille de grands bourgeois, et eux, au contraire, se montraient d'un tact qui leur faisait honneur... Elle remit à plus tard la solution de cette énigme.

— Vous habitez dans le centre de Paris, je crois? demanda Fabrice.

— Pas tout à fait : j'ai un studio, rue de Vaugirard, dans le quinzième. Ma mère vit à Rueil. Mais ma famille est originaire de Bretagne.

— Alors, nous éviterons de savoir si le mont Saint-Michel est normand ou breton, rétorqua Fabrice en riant. Car nous, nous sommes normands, de la région de Deauville.

— Il me semble, dit Estelle Albert-Lassalle qui jusque-là avait observé le silence, que le nom

Levasseur est assez commun dans les environs de Blois.

Elle avait mis dans le mot « commun » tout le dédain dont elle était capable. Cependant, Sophie préféra ignorer cette pointe :

— C'est possible, fit-elle avec calme. Je sais que c'est un nom très répandu en France.

— Savez-vous ce qu'il signifie? insista Estelle Albert-Lassalle. Un vasseur était autrefois un vassal, c'est-à-dire l'inférieur d'un seigneur.

Si la phrase était agressive, le sourire, lui, se voulait candide. Fabrice avait blêmi et Sophie lut dans ses yeux clairs l'expression d'une colère contenue.

— Eh bien, lança-t-il sèchement à Estelle, cela prouve que c'est un nom d'origine noble, puisque les vassaux appartenaient à la noblesse terrienne.

Matée, Estelle se tut. Mais la brusquerie avec laquelle elle s'empara de son verre de vin en disait long sur le dépit que lui causait la repartie de son beau-fils.

Tandis qu'on apportait un légumier d'argent, Sophie laissa errer ses yeux sur ce qui l'entourait. Le milieu de table, orné d'une vasque de cristal remplie de jonquilles, scintillait sous la lumière irisée des lustres. Fabrice surprit son regard et lui sourit.

Malgré la méchanceté à peine déguisée d'Estelle, Sophie se sentait heureuse. Sans avoir besoin d'analyser ses propres sentiments, elle savait d'instinct que c'était la présence de Fabrice qui opérait ce miracle.

La voix douce de Bérengère Albert-Lassalle rompit le silence :

— Fabrice, j'ai oublié de t'en parler, mais c'est

52

important. Demain matin, il faudra que tu téléphones à la banque. Je n'ai pas compris ce que m'a dit Delmont. Il vaut mieux que tu t'en charges toi-même.

— Que se passe-t-il? C'est encore une histoire d'actionnaires?

— Je ne sais pas... Il m'a dit que quelqu'un manigançait quelque chose contre l'hôtel.

— Il n'a pas été plus précis?

— Non. Enfin... Tu me connais, mon chéri : ce genre de choses, c'est de l'hébreu pour moi, avoua la vieille dame avec une mine contrite.

— Ne vous inquiétez pas, Bonne-Maman, je vais m'en occuper... Excusez-moi, Sophie, d'avoir évoqué ces problèmes devant vous.

Elle acquiesça avec d'autant plus de gaieté que, pour la première fois, il l'avait appelée par son prénom...

Au moment où Bérengère Albert-Lassalle invita ses hôtes à passer au salon, Estelle s'éclipsa en prétextant une lettre urgente à écrire. Fabrice offrit le bras à sa grand-mère et celle-ci, s'appuyant sur l'épaule de Sophie avec cette familiarité bon enfant dont seule une grande dame peut faire preuve, entraîna les deux jeunes gens avec elle.

Tous trois pénétrèrent dans un salon où le tissu vieil or des murs s'harmonisait avec le brun chaud de la moquette. Des fauteuils-médaillons et un lit de repos canné voisinaient avec des guéridons de marqueterie et des commodes aux ferrures de cuivre. Tout semblait calculé pour le plaisir de l'œil et pour le confort d'un moment de détente.

Fabrice tira un cordon brodé, et une servante

apparut, à peine plus âgée que le petit groom du hall. Elle lui ressemblait à tel point que ce ne pouvait être que sa sœur. Fabrice lui demanda d'apporter le café; elle disparut aussitôt.

— C'est la fille de notre jardinier de Deauville, expliqua la vieille dame à Sophie. Son frère travaille ici également. Nous les aimons beaucoup, car ils...

Un coup frappé à la porte l'interrompit.

— C'est nous! lança ingénument une voix d'homme derrière le panneau.

— Entrez. Nous vous attendions.

Apparurent un homme et une femme d'une trentaine d'années, que Sophie reconnut tout de suite. Elle les avait rencontrés dans le hall, la première fois, et l'homme lui avait fait un brin de cour, à la grande joie de la jeune femme brune.

— C'est fou, dit celle-ci en allant embrasser Bérengère, j'ai cru que ce film n'en finirait jamais! C'est la dernière fois que j'assiste à une projection privée, la dernière!

— Il y a des années que tu nous le dis, Salomé... fit malicieusement Fabrice. Viens, je vais faire les présentations... Sophie Levasseur... Salomé Lévine...

— Oh, mais nous nous sommes déjà vues, je crois, coupa Salomé en tendant la main à la jeune fille.

— Et moi? On m'oublie? gémit son compagnon.

— Le prince Cyrille Lievski, annonça aussitôt Fabrice.

Il salua Sophie avec une grâce toute orientale, tandis que Salomé allait s'asseoir à côté de Fabrice. Vêtue d'une longue robe noire décolletée dans le dos, ses cheveux bruns dénoués tombant jusqu'à la taille, Salomé Lévine avait une démarche ondulante de danseuse. « Une beauté éclatante », songea Sophie, qui se reprit : non, lorsqu'on la détaillait, elle n'était pas aussi belle qu'on le croyait de prime abord : le nez était court, la bouche trop grande, le front un peu étroit... Et, pourtant, ces imperfections ne faisaient que rehausser ce qu'elle avait de féminin et de séduisant. Quelle pouvait être sa nationalité? grecque? yougoslave?

Le prince Lievski, quant à lui, avec ses cheveux châtain clair, ses yeux gris bridés, son teint mat et ses pommettes saillantes, rappelait étrangement les Russes blancs qui venaient chaque dimanche à la chapelle de Rueil, au-dessus de l'appartement des Levasseur.

— Êtes-vous parent de l'actrice Natacha Lievski? hasarda Sophie.

— Vous la connaissez? Oui, c'est ma cousine.

— Sa tante, plutôt, murmura Salomé. Mais Cyrille est galant...

— Je l'ai aperçue une fois, dit Sophie. Elle est venue à une chapelle orthodoxe qui se trouve à côté de chez ma mère. J'avais cinq ou six ans... Elle était alors au faîte de sa gloire. Ma mère m'a chuchoté son nom quand nous l'avons croisée dans l'escalier... J'étais éblouie...

— Tiens, vous habitez cette maison? s'étonna le prince Cyrille. c'est drôle, comme coïncidence. J'y suis venu plusieurs fois, moi aussi... Hélas, moi, je ne suis pas une star. On ne chuchote pas mon nom dans les escaliers! conclut-il avec une grimace comique.

Sophie éclata de rire. L'humour et la fantaisie de Cyrille l'enchantaient.

— On le chuchotera un jour, objecta Fabrice, à moitié sérieux.

Et, au regard qui accompagna cette phrase, la jeune fille perçut l'amitié qui unissait ces deux hommes pourtant si différents l'un de l'autre.

Salomé Lévine prit dans sa pochette de soirée un étui d'or gris et présenta des cigarettes turques à Sophie qui, n'en ayant jamais fumé, eut la curiosité d'essayer.

— Le plaisir de la découverte, commenta Fabrice avec un sourire entendu.

— Explique-toi, mon chéri, demanda Bérengère Albert-Lassalle.

— Oh, rien... Nous avons beaucoup bavardé, à propos de l'hôtel. Nous l'avons surnommé le jardin secret, n'est-ce pas, Sophie?

On apportait le café et Salomé remplit d'office la fonction de jeune fille de la maison. Tandis qu'elle s'activait avec des gestes amples et souples, Cyrille, qui avait pris place auprès de Sophie, se mit à parler de la colonie russe de Rueil.

Au milieu de cette jeunesse, Bérengère Albert-Lassalle était visiblement aux anges. Outre l'adoration qu'elle éprouvait pour son petit-fils, sa façon de s'adresser à Salomé et à Cyrille disait assez son affection pour eux. A l'évidence, tous se connaissaient depuis de nombreuses années. Et, cependant, à aucun moment Sophie n'eut l'impression d'être en trop parmi eux. Fabrice ne cessait de la prendre à témoin, de guetter son regard, en un mot, de la traiter comme une amie de longue date.

Ainsi, rien ne la préparait au choc qu'elle reçut à la fin de la soirée.

La vieille dame était allée se coucher. Restés seuls, les quatre jeunes gens continuaient de bavarder avec entrain, Salomé au milieu, assise à même la moquette brune. Cyrille parlait d'un peintre du siècle dernier qu'on était en train de redécouvrir.

Soudain, il s'échangea entre Fabrice et Salomé un regard que surprit Sophie et qui la laissa pantoise. Un long regard grave qui démentait la gaieté de leurs propos, avec on ne savait quoi de passionné : « le regard de deux êtres qui s'aiment », pensa Sophie.

CHAPITRE IV

— REMARQUE, je ne te reproche rien. Tu es assez grande pour fréquenter qui tu veux. Simplement, je te demande de faire attention.

— Tu n'as rien à craindre, répondit Sophie. Ils ont tous été charmants avec moi, sauf Estelle Albert-Lassalle. Mais chez elle, c'est une manie. Quant au fameux « bourreau des cœurs », il ne m'a pas fait la cour une seconde. Il est occupé d'ailleurs...

Maryvonne Levasseur hocha la tête. Une lueur incrédule passa dans ses yeux bleus.

— Peut-être, mais il n'empêche... Ce qui me gêne, vois-tu, c'est qu'ils appartiennent à un milieu tellement différent du nôtre. Tant d'argent... Qu'est-ce qui sortira de tout ça? Quoi que tu puisses dire, ce n'est pas un monde pour nous, ma pauvre petite.

— Pourtant, tu m'as toujours encouragée à fréquenter les Russes de la maison. Et ce n'était pas non plus notre milieu. Ils conservent leurs habitudes, leur mentalité.

— Ce n'est pas la même chose. Moi, je te parle de ces gens du Tout-Paris. Je ne voudrais pas que tu te fasses des illusions et que tu aies à en souffrir par la suite. Enfin, je vois qu'il est inutile de chercher à te convaincre.

Maryvonne soupira, puis, dans un accès de subite gaieté, elle ébouriffa en riant les boucles blondes de sa fille.

— Tu t'obstines, comme toujours, murmura-t-elle. Petite tête de mule... Tout de même, j'ai un peu peur pour toi.

Spontanément, la jeune fille passa un bras autour des épaules de sa mère : un geste enfantin qui lui revenait de temps à autre et qui avait le don d'attendrir secrètement Maryvonne.

Comme tous les dimanches, Sophie était venue pour la journée à Rueil. Un soleil timide pénétrait par la fenêtre de la salle à manger et dorait la corbeille de fruits posée sur la toile cirée de la table. Au mur qui faisait face au buffet, la reproduction d'un tableau de Renoir illuminait la pièce de ses couleurs fraîches et vives.

Sa mère l'ayant interrogée sur sa mine fatiguée, Sophie dut avouer qu'elle s'était couchée à deux heures du matin.

— Et qui t'a raccompagnée, au fait?

— Salomé Lévine. J'étais sur son chemin : ensuite, elle a ramené Cyrille chez lui, à Issy-les-Moulineaux.

— Qu'est-ce qu'elle a, comme voiture?

— Maman, je te vois venir... Eh bien, non, ce n'est pas une Rolls, mais une petite voiture noire. C'est drôle, parce que je suis sûre qu'elle est au moins aussi riche que les Albert-Lassalle. Mais elle ne porte aucun bijou, aucune fourrure, rien de somptueux — sauf sa robe. Sans doute à cause de Fabrice : il a l'air d'aimer la simplicité.

— Je ne voudrais pas ressembler à une vieille dame moralisatrice, mais...

— Tu aurais du mal, à quarante ans!

— ... mais, depuis ton arrivée, tu as prononcé je ne sais combien de fois le nom de ce monsieur...

Quand Sophie retourna à son travail, le lundi matin, elle s'attendait à une foule de questions de la part de Colette Florent. Mais, contrairement à son habitude, celle-ci ne manifesta qu'un intérêt tout relatif pour ce qui s'était passé au Queen Victoria.

L'air abattu, Colette erra comme une âme en peine dans l'arrière-boutique avant de se décider à rejoindre ses collègues dans le magasin. Sophie, qui l'observait du coin de l'œil, se promit de l'interroger à la première occasion, pour voir si elle pouvait se rendre utile.

En fin de matinée, alors que Sophie, sans se départir de son calme, avait montré durant une demi-heure toutes sortes de blouses de soie à une cliente particulièrement indécise, la porte du magasin livra passage à un visiteur inattendu : Cyrille Lievski.

— Ah, Sophie, dit-il en se dirigeant vers son comptoir, vous allez me tirer d'embarras, j'espère!

— Mais j'y compte bien! répliqua-t-elle sur le même ton badin.

— Voici mon cas de conscience : j'ai l'intention d'offrir un cadeau à une femme : la grand-mère de Fabrice, pour ne rien vous cacher. Et je ne sais que choisir. Il me faudrait les conseils d'une personne du sexe féminin...

— Je ne demande qu'à vous aider, mais je connais mal les goûts de Mme Albert-Lassalle.

60

— Vous êtes assez fine pour les pressentir, je pense...

— Que diriez-vous d'un parfum? J'ai remarqué qu'elle en portait un très délicat, à dominante de citronnelle.

— Excellente idée!

Quand Cyrille quitta la boutique, en emportant un flacon de *Nicosia,* le dernier-né de la gamme créée par Jean Rousseau, il se retourna vers la jeune fille :

— Si vous êtes libre ce soir, à la sortie du magasin, puis-je vous inviter à prendre un verre avec moi?

Elle hésita une fraction de seconde, puis accepta.

— Parfait, dit-il. Je vous attendrai à l'Ermitage. C'est un bar tout près d'ici, à cinquante mètres sur la droite.

Sophie mit à profit la halte de midi pour aller trouver Colette et lui proposer un déjeuner en tête à tête. Colette commença par dire qu'elle n'avait pas faim, puis changea brusquement d'avis et accompagna la jeune fille au café de la Madeleine où elles se rendaient d'habitude.

Le repas fut morne. Colette répondait par monosyllabes aux commentaires que faisait Sophie sur les événements de la matinée au magasin. Elle semblait se désintéresser de tout. Trop discrète pour lui poser des questions directes, la jeune fille se cantonnait dans des remarques générales.

Au moment du café, Colette sortit enfin de son mutisme et, s'efforçant vainement de prendre un ton détaché, elle se livra :

— Samedi après-midi, je suis retournée voir mon gynécologue. Il n'y a rien à faire... Rien...

Elle détourna la tête. Sophie n'osait rien dire, de

peur de toucher à vif cette plaie mal cicatrisée dans le cœur de son amie. Depuis dix ans qu'elle était mariée, cette dernière se désespérait de ne pas avoir d'enfant. Elle avait déjà consulté plusieurs médecins, dont le diagnostic lui avait porté un coup terrible : elle n'avait aucun espoir de jamais devenir mère.

— Il faudra que je m'y fasse, reprit-elle d'une voix sourde, il faudra que j'accepte...

Doucement, dans un geste qui était presque une caresse, Sophie lui prit la main. Les mots auraient été inutiles, elle le savait. Elle était consternée par le spectacle d'une souffrance contre laquelle on ne pouvait rien.

A l'heure convenue, elle poussa la porte du bar de l'Ermitage. D'emblée, elle fut surprise par le calme qui régnait en ce lieu, malgré l'affluence. Çà et là, deux ou trois fauteuils de velours beige entouraient une table basse en pierre dure où une lampe d'opaline diffusait une lumière orangée. Presque tous les sièges étaient occupés. A gauche de l'entrée, une dizaine de personnes étaient juchées sur les hauts tabourets du bar. Le barman avait un faux-air de Humphrey Bogart.

Soudain, elle aperçut Cyrille qui lui faisait signe. Il vint à sa rencontre, plus élégant que jamais dans un complet bleu sombre, et la conduisit à sa table. Le serveur vint renouveler le cendrier et s'enquit des consommations. Après une brève concertation, ils se décidèrent tous les deux pour un bloody-mary. Cyrille proposa une cigarette turque à Sophie, qui refusa, et en alluma une pour lui-même. Le serveur revint avec les cocktails et une coupelle d'amandes grillées.

— Sophie, je dois vous remercier, fit Cyrille

avec sa bonne grâce coutumière. Grâce à vous, tante Bérengère a été ravie du cadeau... Soit dit en passant, nous n'avons aucun lien de parenté, mais Salomé et moi nous l'avons toujours appelée ainsi. C'est une marque d'affection.

— Vous la connaissez depuis longtemps, j'imagine.

— Oh, moi, depuis plus de vingt ans. Fabrice et moi, nous étions ensemble au collège Stanislas. Nous avons pâli sur les mêmes versions latines : ça crée des liens! Nos parents étaient amis. Nous allions les uns chez les autres au moins une fois par semaine. C'était une époque... merveilleuse. Mais je vous ennuie avec mes souvenirs.

— Oh non, si vous saviez! J'aime vous entendre parler ainsi de l'amitié. Cela m'avait frappée, l'autre soir : cette bonne entente entre vous tous.

— Entre nous tous, rectifia-t-il en mettant l'accent sur le « nous ». Fabrice, Salomé et moi, nous ne formons pas tout à fait un clan, mais presque.

— Les Trois Mousquetaires?

— Voilà. Mais vous êtes comme notre d'Artagnan, la cape et l'épée en moins, bien sûr. C'est la première fois que quelqu'un s'intègre aussi bien à notre groupe. Et vous m'en voyez ravi, ajouta-t-il avec une joie qui ne semblait pas feinte.

Sophie hésitait à partager ses certitudes. Non qu'elle mît sa sincérité en doute, mais elle ne pouvait s'empêcher de revoir en pensée le long regard qu'avaient échangé Fabrice et Salomé... Cependant, si tous trois se connaissaient aussi bien qu'il le disait, il était peu probable que la nature des sentiments de Fabrice et de Salomé lui eût échappé. S'il se taisait sur ce point, ce ne pouvait être que par discrétion.

— En somme, conclut Cyrille, l'amitié est comme l'amour : elle aussi a ses mystères.

L'amour? Voilà un mot auquel elle prêtait peu attention, d'ordinaire. Elle se croyait incapable de pouvoir un jour éprouver quelque chose de semblable. Le trouble qu'elle avait ressenti en présence de Fabrice n'aurait pu passer pour de l'amour; du moins en décida-t-elle ainsi. Elle préféra rester dans le vague et détourna la conversation :

— J'aime bien ce bar. Est-ce que vous y venez souvent?

— Oui. Par chance, il n'est pas encore trop connu. Mais je ne lui donne pas deux mois pour devenir le lieu de rendez-vous de tous les snobs... Alors, je chercherai autre part. C'est Fabrice qui m'en a indiqué l'adresse.

— Toujours son goût pour le secret, observa la jeune fille avec une lueur malicieuse dans ses yeux bleus.

— Vous ne croyez pas si bien dire... Je n'ai jamais vu quelqu'un d'aussi réservé. Avec Salomé, qui est la personne la plus exubérante qu'on puisse rencontrer, il forme un contraste saisissant.

— J'avais remarqué, fit-elle en s'efforçant de garder un ton neutre. Mais je suppose que cela tient aussi à l'éducation et à la famille.

Elle avait hasardé cette phrase sans trop savoir ce qu'elle espérait comme réponse : peut-être désirait-elle simplement entendre Cyrille continuer à parler de Fabrice.

— La famille? répéta-t-il, songeur. Oui, vous devez avoir raison, surtout en ce qui concerne Fabrice. On l'a élevé dans l'idée qu'il prendrait la succession de son père à la tête de l' « empire Albert-Lassalle », comme disent les journaux. Mais la mort de son père, d'un infarctus, ce qui était malheureusement logique pour cet homme qui se surmenait dans son travail, l'a forcé à prendre du jour au lendemain des responsabilités auxquelles il ne s'attendait pas si tôt. Je me demande parfois si cela ne l'a pas endurci, sans qu'il s'en rende compte.

— Il dirige l'hôtel, je crois?

— Oui, mais il y a aussi le reste : plusieurs affaires industrielles, une société financière montée par son père, sans compter la gestion de tous les biens immobiliers du patrimoine... Les Albert-Lassalle font partie de ce qu'on appelle les deux cents familles. Mais sans doute le saviez-vous.

— Non. D'ailleurs, je ne sais pas au juste ce que signifie cette expression. Le monde de l'industrie m'est assez étranger...

— A l'origine, les deux cents familles représentaient les deux cents premiers actionnaires de la Banque de France : autrement dit les familles les plus riches de l'époque, dans les premières années du XIXe siècle.

— C'est curieux, je pensais que la fortune des Albert-Lassalle remontait à une date plus reculée. Enfin, presque deux siècles, ce n'est déjà pas si récent... Et d'où vient cet étrange nom de famille, accolé à un prénom?

— De l'ancêtre, celui qui a vu la création de la Banque de France : Albert. Auparavant, le nom était simplement Lassalle. On y a joint le prénom à ce moment-là, et le nom s'est transmis ainsi modifié, comme cela se faisait au siècle dernier. Pensez à la famille Henri-Martin, par exemple, qui a donné son nom à l'avenue. Albert Lassalle était d'humble origine : obscur charretier de la région de Deauville, il a racheté des biens nationaux pendant la Révolution, puis, comme il avait le génie des affaires, il s'est lancé dans la finance et, plus tard, dans l'industrie.

Sophie se souvint du mécontentement de Fabrice, quand sa belle-mère avait insisté sur la situation modeste des Levasseur. Loin d'oublier les débuts de sa famille, il s'était senti solidaire de la jeune fille. Cette attitude ne le rendait que plus attachant.

Comme en écho à cette pensée, Cyrille ajouta :

— Fabrice n'est pas de ceux qu'impressionne l'argent. Il aime à rappeler, de temps en temps, que la puissance de sa famille est due, au départ, au savoir-faire d'un homme du peuple et à un heureux concours de circonstances. Du reste, cela pourrait s'appliquer à presque toutes les familles de grands bourgeois.

— Mais ils ne sont pas tous comme Fabrice...

Elle s'interrompit et se pencha vers la table pour dissimuler la subite rougeur qui avait envahi ses joues.

A la demande de Cyrille, elle raconta la manière dont elle avait fait la connaissance des Albert-Lassalle. Elle évita de donner des détails sur la conduite d'Estelle, préférant oublier cet incident pénible. Puis, comme il évoquait de nouveau le Queen Victoria, elle se décida à l'interroger sur Salomé Lévine.

— C'est une fille extraordinaire, répondit-il sans hésiter. Bien moins fantasque qu'elle n'en a l'air : elle sait ce qu'elle veut. Comme Fabrice... Ses parents la gâtent terriblement : yacht, villas, œuvres d'art, ils lui ont tout offert. Son père est un industriel égyptien; sa mère, la fille unique d'un armateur grec. Elle a aussi une grand-mère hongroise. Elle a fait ses études en Suisse. Elle vit entre Paris, Le Caire, Athènes et Genève. Bref, c'est très compliqué...

Sophie rit de bon cœur et avoua qu'elle trouvait Salomé très sympathique.

— J'en suis heureux. Fabrice et moi, nous l'avons rencontrée il y a une dizaine d'années, chez des amis communs. Depuis, nous sommes inséparables. Les mauvaises langues ont bien jasé, à l'époque. Mais ce qui a eu lieu est maintenant fini.

— Ce qui a eu lieu? interrogea la jeune fille, le cœur battant.

— C'est vrai, vous ne fréquentez pas le Queen Victoria depuis assez longtemps pour être au courant... Autrement, Estelle se serait fait une joie de vous l'apprendre. Elle déteste Salomé, comme elle déteste toutes les jolies femmes. Alors, autant que ce soit moi qui vous le dise. Au début, quand nous avions une vingtaine d'années, il y a eu un flirt, un amour de jeunesse, entre Fabrice et Salomé.

Sophie sentit sa gorge se nouer. Comme dans un rêve, elle entendit la suite :

— Mais il y a longtemps que c'est terminé. Et puis, ça ne tirait pas à conséquence. La preuve : ils sont restés bons amis, une fois que Salomé a mis fin à cette aventure.

— C'est elle qui a rompu?

Elle avait dû se maîtriser pour ne pas crier. Pourtant, cette nouvelle n'aurait pas dû la bouleverser à ce point.

— Oui, c'est elle. Mais Fabrice ne lui en veut pas.

Elle avait la certitude que Cyrille se trompait : quand Fabrice avait regardé Salomé, elle en était sûre, on pouvait lire de la passion dans ses yeux. Il aimait toujours Salomé. Son air désinvolte en sa présence et son amitié apparemment détachée pour elle n'étaient qu'un masque. Si Fabrice avait autant de volonté qu'on pouvait le supposer, il n'avait pas renoncé et ne renoncerait jamais à reconquérir celle qu'il aimait. Quoi de plus compréhensible? Salomé avait tout pour elle : le charme, la séduction, l'élégance.

Sophie en ressentit une douleur sourde mais amère. Elle souffrait d'autant plus qu'elle ne comprenait pas ce qui pouvait la meurtrir à un tel degré.

— Oh, mon cher prince, vous êtes là! lança une voix d'homme derrière eux.

Cyrille et Sophie se retournèrent en même temps. La jeune fille eut grand-peine à dissimuler son ahurissement.

L'homme qui leur souriait était petit, corpulent, vêtu d'un voyant complet de velours vert vif qui jurait avec une chemise de soie prune, elle-même affublée d'une cravate où était brodée une sorte de scène de zoo. Ses cheveux commençaient à se raréfier, bien qu'il n'eût guère plus de quarante ans. Trois rides profondes lui barraient le front. Le hâle du visage révélait une récente croisière sous les tropiques.

Cyrille fit les présentations. L'homme portait le nom insolite de Luc-Alban du Verger, ce qui n'était pas moins pittoresque que le monocle d'or incrusté de diamants qu'il arborait à l'œil gauche...

Il s'inclina devant Sophie avec un claquement des talons, comme un officier prussien du siècle dernier, et lui baisa la main, avec un plongeon qui n'avait rien à envier à celui d'un grand vizir saluant quelque potentat oriental.

— Je suis positivement enchanté, mademoiselle, fit-il avec une intonation que la jeune fille jugea mondaine — trop mondaine, même. Vous portez une délicieuse robe d'après-midi. De Jean Rousseau, n'est-ce pas?

— Oui. Les vendeuses du magasin en ont quelquefois la possibilité.

— Ah, vous connaissez une de ses employées?

— J'en suis une.

Il avait sursauté. Mais, se reprenant, il lança avec force :

— C'est toujours un vif plaisir pour moi, que de faire la connaissance d'une jolie femme.

Le serveur s'approcha, tandis que Cyrille conviait l'étrange personnage à prendre place parmi eux.

— Robert, un bourbon, comme d'habitude! jeta le nouveau venu. Puis-je vous offrir quelque chose? ajouta-t-il à l'adresse de ses compagnons.

Tous deux refusèrent poliment, et Cyrille proposa ses cigarettes turques. Sophie se laissa tenter, moins par goût du tabac que pour se donner une contenance. Luc-Alban du Verger secoua la tête :

— Merci, mon cher prince, mais je ne fume que des Sobranie. Vous les connaissez, je suppose, puisqu'elles sont russes.

Joignant le geste à la parole, il prit une courte cigarette noire et or dans un étui laqué de rouge où figuraient ses initiales sous forme d'émeraudes incrustées.

Sophie l'observa un moment, tout en se servant d'amandes grillées dans la coupelle. Il se cala confortablement dans son fauteuil, les jambes croisées, les bras appuyés aux accoudoirs. Ses mains étaient courtes et épaisses, bien qu'elles fussent

69

soigneusement manucurées : le cas était désespéré. Sophie remarqua à son petit doigt une chevalière d'or gravée d'armoiries aux formes tarabiscotées. Le même blason se retrouvait, frappé à l'or fin sous la poignée de son attaché-case, qu'il avait posé près de la table, ainsi que sur les boutons dorés de son veston. « Une véritable obsession » nota la jeune fille avec amusement. Pour tout arranger, son monocle de diamants lui donnait l'air d'un hibou borgne.

Après un temps de réflexion, elle comprit avec effarement ce que représentait en réalité la petite scène de zoo de la cravate, avec ses licornes dorées et ses dragons multicolores : le fameux blason!

— Franchement, mon cher prince, dit-il à Cyrille, je ne pensais pas vous trouver ici. Ce bar n'est pas encore à la mode. L'assistance n'y est pas très « parisienne ».

— Cela ne me gêne pas, au contraire, répliqua Cyrille avec une lueur d'ironie dans ses yeux gris. J'aime mieux précéder les modes que les suivre.

Sophie applaudit cette réplique en son for intérieur. Nullement décontenancé, Luc-Alban du Verger reprit :

— J'ai donné rendez-vous ici à une comtesse de mes amies. Mais, comme d'habitude, elle est en retard. Enfin, tant mieux, puisque cela me donne l'occasion de bavarder avec vous. Au fait, mon cher prince, il fallait que je vous remercie : vos indications m'ont été très utiles pour découvrir toute la beauté des îles Fidji... Je ne suis rentré que la semaine dernière.

— J'y suis allé plusieurs fois, expliqua Cyrille à la jeune fille, du temps que ma famille n'était pas tout à fait ruinée.

Il avait prononcé ces paroles avec un demi-sourire, sans gaieté mais sans fausse honte. Sophie l'en jugea encore plus sympathique.

— Mademoiselle, dit Luc-Alban du Verger, vous ne pouvez imaginer combien cet endroit est exquis! J'espère que vous vous y rendrez un jour. Soit dit en passant, j'ai rencontré là-bas plusieurs personnalités en vogue. Le duc de Guérinville était là. Et votre cousine aussi, mon cher prince.

— Laquelle? J'en ai tellement...

— Natacha Lievski. Elle demeure très belle. Elle va bientôt tourner un nouveau film à Hollywood. Elle m'a chargé de vous transmettre mille amitiés!

Cyrille esquissa un petit salut plein d'humour. Puis, Sophie lui ayant fait signe qu'elle désirait rentrer, il prit congé de Luc-Alban et accompagna la jeune fille dans la rue.

— J'aurais voulu que nous parlions de vous, lui dit-il tout en traversant le boulevard de la Madeleine. Mais à peine avais-je fini d'évoquer mes souvenirs que Luc-Alban est arrivé... Je ne pouvais pas décemment lui dire qu'il nous dérangeait.

— Je comprends très bien. Et puis, cela ne fait rien. Il est... surprenant.

Il réprima un sourire. Décidément, il ne semblait pas, lui non plus, éprouver une sympathie débordante pour ce personnage. Pourtant, celui-ci s'était montré fort aimable avec lui.

Comme s'il devinait la pensée de Sophie, Cyrille répondit avec bonne humeur :

— Il y a une chose qui a le don de m'agacer. C'est que, lorsqu'on s'adresse à moi, on commence chaque phrase par « mon cher prince »...

Le rire de la jeune fille fit écho au sien.

Comme ils arrivaient à l'arrêt d'autobus, il remarqua :

— J'ai téléphoné à Fabrice, ce matin. Il est très désireux de vous revoir.

DEUXIEME PARTIE

LA COULEUR D'UN REVE

CHAPITRE V

— MA parole, mais tu l'aimes!

Sophie prit un air outré pour répliquer :

— Je le trouve bien, c'est tout. En déduire que je suis amoureuse, c'est aller un peu vite en besogne...

Elle laissa sa phrase en suspens, ce qui fit sourire sa compagne. Les deux vendeuses reprirent leur travail en silence, mais le rangement des flacons de parfum et des boîtes de cosmétiques ne parvient pas à distraire Sophie. De toute évidence, la jeune fille se trouvait ailleurs. La fixité de son regard et le léger sourire qui errait sur ses lèvres constituaient des signes qui ne pouvaient tromper Colette Florent.

Elle ne put s'empêcher de plaisanter sa jeune amie sur l'indifférence que cette dernière affectait :

— Hum, tu n'es pas amoureuse de lui! Tu trouves beau, intelligent, charmant, gentil, élégant, distingué, ça fait une demi-heure que tu ne me parles que de lui, et malgré tout, tu n'es pas amoureuse de lui! A d'autres, Sophie! Moi, on ne me la fait pas!

Elle avait éclaté de rire à ces derniers mots.

Vexée par l'ironie de Colette, Sophie se renfrogna.

— Mais qu'est-ce que vous avez toutes à me répéter que je suis amoureuse de lui?

— Ah, parce que ce n'est pas la première fois qu'on te le fait remarquer?

— Ma mère a déjà fait allusion à ça, avoua la jeune fille.

Le dépit lui avait fait froncer les sourcils. Elle poursuivit :

— Si vous vous mettez toutes à me le répéter, je vais finir par tomber réellement amoureuse de Fabrice.

En prononçant ce prénom, la jeune fille tressaillit, mais ce mouvement fut imperceptible et Colette Florent n'eut pas l'occasion de renchérir sur les sentiments que Sophie vouait au jeune homme. Pour dissiper toute équivoque, la jeune fille lança sur un ton qu'elle voulut blagueur :

— Tu sais, je finirai par croire que ma mère et toi, vous êtes jalouses de Fabrice!

L'expression de Colette Florent se figea tandis qu'elle entendait ces paroles.

— Qu'est-ce qu'il y a, Colette? Je ne t'ai pas vexée? demanda la jeune fille avec inquiétude.

L'aînée des deux vendeuses secoua la tête en signe de dénégation, mais l'amertume de son sourire émut Sophie, qui la saisit par les épaules.

— Je te demande pardon, je ne voulais pas te faire mal, ajouta-t-elle doucement.

— Je ne t'en veux pas, ma petite Sophie. Je sais bien que tu dis ce que tu penses avec franchise et que tu ne cherches pas à blesser les gens. Mais tu sais, ta spontanéité peut te jouer des tours auprès d'autres que moi. Fais bien attention, tout le monde n'est pas aussi indulgent, conclut-elle gravement.

— Oui, maman!

La réplique avait fusé des lèvres de Sophie, et elle avait été prononcée avant même que la jeune fille ait eu le temps de se rendre compte qu'elle enfonçait le couteau dans la plaie de sa compagne. Elle se reprit trop tard, alors que le visage de Colette Florent s'était déjà assombri :

— Oh, Colette, pardon, je ne voulais pas dire ça. Je ne voulais pas faire allusion à...

« La gaffe! songea Sophie, et maintenant je m'enferre, même si je ne prononce pas le mot fatidique. »

Colette soupira avant de reprendre la phrase que la jeune fille n'avait osé achever :

— Tu ne voulais pas faire allusion au fait que je ne serai jamais une mère, c'est bien cela? Et, poursuivit-elle avec lassitude, pourtant tu as raison. Alors je compense en te couvant comme la fille que j'aurais aimé avoir.

Sophie avait honte de causer une si grande douleur à celle qui l'avait protégée, car elle savait que, même s'il entrait dans cette sollicitude une petite part de sentiments maternels inassouvis, le désintéressement n'en n'était jamais absent. Elle se maudit intérieurement et se jura de ne plus laisser libre cours à ses élans de franchise.

Elle était en train de penser ironiquement que c'était là un vœu pieux, lorsqu'une voix venue du rez-de-chaussée du magasin l'interrompit :

— Sophie! Une visite pour toi!

En entendant Madame Odette, le sang de la jeune fille ne fit qu'un tour. « Et si c'était...? » Tout à sa joie, elle en oublia Colette et s'écria :

— J'arrive tout de suite!

Colette regarda avec émotion briller les yeux de Sophie, tandis qu'elle s'apprêtait à dévaler l'escalier.

— Allez, fit-elle un peu tristement, va retrouver ton don Juan!

Mais la jeune fille n'entendit pas ses paroles : elle avait déjà disparu.

— Ma venue ne semble pas vous causer un grand plaisir.

Sophie avait été incapable de cacher sa déception. Pourtant, elle fut sincère, lorsqu'elle répondit :

— Mais si, je vous assure que c'est une surprise très agréable.

Le visage de Salomé Lévine arborait l'incrédulité, aussi la jeune fille avoua-t-elle avec gêne :

— Je croyais que ce serait quelqu'un d'autre.

— Votre amoureux, sans doute. Vous devez bien en avoir un, jolie comme vous l'êtes! Évidemment, je suis moins intéressante que lui, affirma-t-elle d'un ton léger.

« Mais qu'est-ce qu'ils ont tous aujourd'hui? » se demanda la jeune fille tandis que la rougeur de ses joues attestait sa confusion. Une lueur d'amusement traversa les prunelles sombres de Salomé Lévine lorsqu'elle vit qu'elle avait fait mouche.

Devinant la jeune femme, Sophie s'empressa de formuler quelques vagues excuses, puis l'interrogea en souriant :

— Qu'est-ce qui vous amène?

— Je passais dans le coin, alors je n'ai pas résisté à l'envie de venir vous saluer. Comme il est bientôt sept heures, j'ai pensé que nous pourrions prendre un verre, toutes les deux. Si vous n'avez rien de prévu, ajouta-t-elle avec précipitation.

— Non, non, répondit Sophie, je suis libre. Comme vous êtes gentille de vous être souvenue de moi!

— Je me fais plaisir, vous savez. Mais je serais encore plus contente si je vous en cause.

Aujourd'hui, Salomé Lévine avait noué ses cheveux en un chignon qui ornait sa nuque et rehaussait son type oriental. La rigueur de cette coiffure tempérait l'éclat de sa robe rouge. Remarquant l'intérêt que sa tenue suscitait chez la jeune fille, elle l'interrogea :

— Répondez-moi en spécialiste : à votre avis, est-ce que cette robe me va? Je l'ai achetée hier, mais je n'arrive pas à me faire à ce rouge. Je crains qu'il ne soit un peu vif.

— Pas du tout. C'est un ton chaud, et il vous convient parfaitement. Il n'est pas du tout criard, observa-t-elle en détaillant le vêtement de la jeune femme. Puis, avec un petit sourire, elle demanda : mais peut-être préférez-vous les couleurs qui donnent du mystère?

Salomé éclata de rire.

— Sophie, vous êtes une fine psychologue. Vous l'avez deviné, j'aime faire croire aux hommes que je suis une inconnue ténébreuse! Pour en revenir à ce rouge, il me gêne, car j'ai l'impression qu'il me dévoile. Si je puis dire, ajouta-t-elle en souriant de ce jeu de mots involontaire.

La jeune fille hocha la tête.

— Cette couleur met en valeur votre tempérament passionné. Mais il ne précise pas l'objet de votre passion, aussi gardez-vous quand même un peu de mystère.

— Heureusement!

Ce cri du cœur visait-il Fabrice Albert-Lassalle? Le regard soudain appuyé de la jeune femme gêna Sophie, qui baissa les yeux et détourna la conversation :

— Le magasin ferme bientôt. Vous pourriez jeter un coup d'œil sur les nouveaux modèles, en m'attendant.

— Bonne idée. Je sens que je vais encore me ruiner, mais je compte sur vous pour m'arrêter à temps, répliqua Salomé Lévine.

Les lumières tamisées de l'Ermitage soulignaient discrètement l'ovale fin du visage de Sophie et parsemaient de reflets roux les boucles de ses cheveux.

— Cette lumière vous convient, fit Salomé. Tenez, vous êtes le point de mire de la salle.

Sophie reposa sur le petit guéridon la coupe de champagne qu'elle venait de porter à ses lèvres :

— Vous me flattez! Je crois que vous êtes très regardée, vous aussi.

De fait, Salomé Lévine possédait une beauté qui ne passait pas inaperçue. L'éclat sombre de ses yeux soulignés de khôl et la sensualité de chacun de ses gestes en faisaient une créature venue d'ailleurs et sur laquelle convergeaient tous les regards. Sa nonchalante distinction attirait les hommages masculins tout en les repoussant. « Un mélange détonant », pensa la jeune fille en se disant qu'elle-même devait paraître bien fade à ses côtés.

— J'adore ce bar, il porte bien son nom, fit Salomé. Vous le connaissiez?

— Oui, Cyrille m'y a emmenée. On se sent en dehors du monde, ici.

— Ce n'est pas comme tous ces endroits à la mode où chacun se presse pour être vu!

Sophie sourit en songeant qu'Estelle Albert-Lassalle et Luc-Alban du Verger devaient affectionner ces lieux-là. Elle répliqua :

— Vous n'êtes pas snob, vous.

— Je ne suis pas masochiste, c'est tout. J'aime

mes aises, ajouta-t-elle en s'étirant avec volupté dans le confortable fauteuil qu'elle occupait dans l'angle de la salle.

Elle poursuivit :

— Je suis sensible à l'esthétique, à l'originalité, à des petits détails comme la ressemblance du barman avec Humphrey Bogart... Elle n'acheva pas sa phrase et dit avec chaleur : je sens que vous me comprenez, Sophie.

Elle lui avait saisi le poignet tout en parlant. Elle ajouta soudain :

— Au fait, on pourrait se tutoyer! Qu'en penses-tu, Sophie?

La jeune fille frémit de joie.

— Oh oui! Je n'osais pas vous le demander. Pardon, *te* le demander!

Salomé sortit de son sac l'étui d'or gris que la jeune fille avait déjà admiré, et lui proposa l'une de ses cigarettes turques. Sophie accepta. Elles fumèrent toutes deux en silence, savourant l'ambiance feutrée de la salle de l'Ermitage, avec ses chuchotements et sa musique douce.

La jeune femme rompit le charme par une question brutale :

— Que penses-tu d'Estelle?

— Elle est très belle. Elle possède une forte personnalité, répondit la jeune fille évasivement.

« Sait-elle quelque chose? » se demanda Sophie. Elle avait préféré ne pas accabler celle qui l'avait humiliée.

Salomé plissa les paupières :

— Tu es indulgente. Tu sais pourquoi je pense à elle, tout à coup?

— Non.

— Tu te souviens de ce que je t'ai dit, tout à

l'heure sur les lieux à la mode? Eh bien, je pensais justement à elle en t'en parlant. Elle aime se donner en spectacle, elle est faite pour les boîtes de nuit snob, les bars « chic » et tous ces endroits.

— C'est drôle, moi aussi, j'avais pensé à elle!

— Elle n'est pas sympathique, cette femme.

Sophie ne répliqua pas. L'autre poursuivit :

— Elle est l'ancienne secrétaire du père de Fabrice. Elle a tout fait pour se faire épouser. Elle a réussi son coup, conclut-elle avec une pointe de sécheresse.

— Voilà la raison de son attitude, murmura la jeune fille.

— Du tape-à-l'œil, oui. C'est très important, pour elle, de ne jamais laisser oublier qu'elle est une Albert-Lassalle. Comme si elle sentait qu'au fond, elle n'appartenait pas à ce monde.

Sophie remarqua :

— Et je suppose qu'elle en veut aux domestiques de lui rappeler son ancienne condition?

— C'est évident. Et puis elle a le réflexe mesquin de les tyranniser sous prétexte qu'elle-même en a bavé lorsqu'elle était plus jeune.

— Je crois qu'elle est surtout malheureuse, Salomé. Elle est seule, et j'ai noté que la famille Albert-Lassalle la traitait en étrangère. Ils sont aimables avec elle, mais leur attitude à son égard manque de chaleur, termina Sophie.

La jeune femme leva la tête et contempla rêveusement le plafond, les yeux à demi fermés. Elle répondit avec lenteur :

— Je ne sais pas, hésita-t-elle. C'est vrai, elle a dû se sentir rejetée, mais au fond, je ne sais pas ce qui se passe dans sa tête.

« Salomé est une femme bizarre, se dit la jeune

fille. Tout à l'heure, elle semblait en vouloir à Estelle Albert-Lassalle et maintenant, on dirait qu'elle l'a presque oubliée. »

Comme pour confirmer sa pensée, Salomé Lévine s'anima soudain : une idée nouvelle devait avoir jailli dans son esprit en effaçant ce qui venait de la préoccuper.

— Au fait, Sophie, il faut que je te dise, tu as fait une conquête!

Sophie s'était adaptée aux méandres capricieux de la conversation de Salomé. Aussi répondit-elle sans s'étonner :

— Ah oui? De qui s'agit-il?

Une légère espérance se sentait dans son ton.

— Luc-Alban du Verger. Elle éclata de rire : ne fais pas cette tête! Cela ne te réjouit pas?

Sophie regarda le cendrier de cristal. Non, vraiment, conquérir cet homme ridicule à force de suffisance ne risquait pas de la réjouir. Elle lança comme une plaisanterie :

— Ceux que l'on aime ne sont jamais ceux de qui l'on est aimé!

— Si jeune, Sophie, et déjà si pessimiste! Aurais-tu un chagrin d'amour, en ce moment? fit Salomé sans se laisser duper par le ton de la jeune fille.

« Ça y est, voilà qu'elle recommence! » pensa Sophie avec agacement.

Voyant que cette dernière n'appréciait pas sa dernière question, Salomé reprit :

— Tu sais que Luc-Alban du Verger ne s'appelle pas ainsi, en réalité? Son vrai nom est Lucien Duverger, en un seul mot.

Sophie regarda sa compagne avec étonnement. Elle était moins surprise par ce qu'elle apprenait que par l'étrange hargne qui animait Salomé. « Lui en voudrait-elle? » se demanda la jeune fille. Salomé Lévine répondit bientôt à ses interrogations.

— J'ai failli épouser Luc-Alban, fit-elle tout d'un souffle. En fait, il ne m'a courtisée que pour épouser ma fortune. Je m'en suis aperçue à temps et j'ai rompu nos fiançailles.

Elle conclut avec une ironie à peine voilée :

— Il n'a épousé personne, finalement, mais ça ne l'a pas empêché de faire fortune. C'est un véritable génie financier. Il possède un flair particulier pour sentir l'opération qui lui rapportera gros. En ce moment, il dirige la galerie de peinture qui se trouve en bas du Queen Victoria, et fais-moi confiance, il gagne beaucoup d'argent ainsi. Luc-Alban n'est pas un philanthrope. Tiens, d'ailleurs, il y a un vernissage, demain. Luc-Alban lance un peintre inconnu du XIXᵉ siècle, Gabriel Capeyron. Tu viens? Il sera ravi de te voir, ajouta Salomé en tendant à Sophie un carton d'invitation qu'elle venait de sortir de son sac.

— Après tout ce que tu viens de me dire, je n'ai pas très envie de me lier avec ce personnage.

— Oh, ce n'est pas pour lui que je te demande d'y aller, c'est pour nous rejoindre.

— Qui, nous?

— Eh bien, Cyrille, tante Bérengère et Fabrice.

Une foule élégante se pressait aux abords du buffet spécialement dressé au fond de la galerie pour le vernissage de l'exposition « Gabriel Capeyron ». Cyrille se retourna vers la jeune fille :

— Je renonce à toute tentative, pour l'instant. Ce buffet est pris d'assaut, je ne suis pas de taille à lutter avec tous ces gens. Nous attendrons qu'une âme charitable veuille bien nous proposer un verre!

L'élégance et la prestance de Cyrille en faisaient un compagnon avec lequel il était agréable de sortir et sa conversation n'était pas des plus déplaisantes. Toutefois, Sophie ne parvenait pas à partager son entrain. Lorsqu'il était venu la chercher pour l'accompagner jusqu'à la galerie, il lui avait dit qu'ils retrouveraient les Albert-Lassalle sur place. Or ces derniers n'étaient toujours pas arrivés. « Et Salomé non plus », remarqua-t-elle en son for intérieur.

Luc-Alban du Verger s'avança vers eux :

— Sophie, et vous, mon cher prince, comme vous êtes gentils d'être venus!

D'une main courte et épaisse, il tenait un long fume-cigarette dont il mordillait le bout avec affectation. « Il a oublié de mettre son monocle de diamants », se dit Sophie en priant pour que ses pensées ne se lisent pas sur son visage. Elle fit remarquer :

— C'est un succès, cette exposition!

« Mon Dieu, pardonnez-moi d'être aussi hypocrite! » se dit-elle en pouffant presque de rire. En réalité, elle n'appréciait pas du tout les tableaux qui tapissaient la galerie : des femmes blafardes, des chairs décomposées, des ossements humains et des couronnes mortuaires baignant dans une lumière bleue constituaient les thèmes favoris de Gabriel Capeyron.

Luc-Alban se rengorgea.

— Oui, je dois avouer que c'est une réussite. Et je peux dire dès aujourd'hui que j'ai lancé une mode. Demain, on ne jurera plus que par Gabriel Capeyron!

85

En parlant, Luc-Alban du Verger n'avait cessé de détailler la jeune fille, à tel point qu'une rougeur avait envahi les joues de cette dernière. Heureusement, l'arrivée de Bérengère Albert-Lassalle mit fin au supplice de Sophie. Après les salutations et les félicitations d'usage, la vieille dame précisa :

— Fabrice et Salomé arrivent tout à l'heure.

Sophie tressaillit en entendant ces mots, qui lui firent oublier la gêne produite par le regard de Luc-Alban du Verger. Elle s'efforça de ne rien montrer de son trouble et se mit à écouter les explications que le directeur de la galerie donnait à Mme Albert-Lassalle. Bientôt, le petit groupe fut entouré de quelques critiques d'art. Voyant que son auditoire grossissait rapidement, Luc-Alban du Verger se lança dans un exposé fort savant sur la peinture du XIXe siècle.

Sophie eut de la peine à suivre ce discours tout de dates et de noms inconnus; aussi observa-t-elle Cyrille à la dérobée. Il lui répondit par un léger sourire, avant de lever ostensiblement les yeux vers le plafond, comme pour dire « Quel raseur! »

Quant à Bérengère, elle semblait s'être éteinte. Sa moue évoquait celle d'une petite fille obligée d'abandonner ses poupées pour écouter un cours d'arithmétique. Elle se pencha vers Sophie et murmura :

— Luc-Alban est une grande personne, qui sait tout et qui adore donner des leçons. Si vous saviez comme les grandes personnes m'ennuient! s'écria brusquement l'octogénaire.

Sophie éclata de rire : la mimique de Bérengère Albert-Lassalle était irrésistible de charme et de drôlerie.

Elle s'aperçut soudain que la victime des moqueries de la vieille dame avait tout entendu. Le directeur de la galerie, ne sachant comment garder une contenance, s'excusa et se dirigea vers l'entrée de la galerie, où il rejoignit Estelle Albert-Lassalle.

Cyrille plaisanta :

— Lui qui aime tant donner des leçons n'aime guère en recevoir!

— Il manque peut-être d'assurance, fit Sophie en se souvenant des révélations de Salomé sur les origines obscures du personnage.

Derrière elle, une voix se fit entendre. La jeune fille trembla si fort qu'elle comprit à peine les paroles qui lui étaient adressées :

— Votre indulgence vous honore, chère Sophie, mais elle vous perdra.

C'était Fabrice Albert-Lassalle.

— Mon chéri, enfin. Je me demandais ce que vous faisiez, le morigéna Bérengère.

Sophie se retourna pour saluer le nouvel arrivant, mais ne put articuler une seule parole. Une douleur terrible lui avait paralysé la poitrine à la vue de Fabrice tenant Salomé par la taille. Un tel bonheur se lisait dans l'abandon avec lequel se tenait le couple, qu'elle ne put que balbutier un « Bonjour » à peine audible.

Bérengère Albert-Lassalle s'inquiéta :

— Sophie, qu'avez-vous? Vous êtes toute pâle. Vous devriez prendre un peu d'air. On étouffe, ici. Fabrice, fit-elle avec autorité, accompagne Sophie à l'entrée...

La jeune fille la coupa :

— Je vous remercie, je préfère y aller seule, fit-elle trop heureuse de ne pas se retrouver en tête à tête avec le jeune homme.

Et elle leur tourna le dos. Quand elle fut hors de

leur vue, elle chercha Luc-Alban du Verger du regard et, l'ayant découvert, elle se fraya un chemin dans la masse des invités, n'hésitant pas à bousculer les gens sur son passage.

Un peu stupéfaites par la brutalité de cette jeune fille, des femmes se retournèrent sur elle et s'interrogèrent quelques secondes sur la tristesse de ses yeux.

« Un gros chagrin d'amour » se dirent-elles avec attendrissement, avant de reprendre la conversation dont elles avaient été distraites.

CHAPITRE VI

UNE vie intense animait la rue du Faubourg-Saint-Honoré, le flot des passants courant à leur travail ayant depuis longtemps réveillé le quartier. Sophie cheminait distraitement et se laissait porter par le mouvement de la foule, s'arrêtant avec elle pour traverser, repartant en même temps. Parfois, un homme pressé la heurtait; elle n'y prenait pas garde, trop préoccupée par ses pensées pour lui reprocher son épaule meurtrie.

« Mais pourquoi suis-je si impulsive? » se demandait-elle avec désespoir. Elle revoyait la scène de la veille, au vernissage, et elle s'accablait de reproches. « Qu'est-ce qui m'a pris d'agir comme ça? Je me suis littéralement jetée à son cou. » Elle n'aimait pas Luc-Alban du Verger, il lui était antipathique, comme à toute la famille Albert-Lassalle. Toutefois, cette certitude était loin de lui donner la réponse à son étrange comportement. Elle plaignait le directeur de la galerie et comprenait que sa rage à se hisser jusque dans un milieu social élevé expliquait une grande partie de ses ridicules. Elle et lui étaient nés pauvres, et, face à des nantis comme les Albert-Lassalle, cette origine commune les rapprochait. Évidemment, il courtisait la jeune fille et celle-ci n'était pas insensible à cet hommage. Cependant Sophie ne ressentait pour lui que de l'indifférence.

Elle ressassa les mêmes questions : « Pourquoi lui ai-je fait croire que je l'aimais? Pourquoi ai-je agi avec si peu de discrétion? » Ces interrogations ne lui servirent qu'à mieux se cacher les motifs véritables de sa conduite. Tout son entourage avait été frappé par une évidence qu'elle refusait de reconnaître : elle était éprise de Fabrice Albert-Lassalle. Elle n'avait pas supporté, la veille, de le voir tenir Salomé Lévine par la taille : un geste qui laissait supposer qu'ils ranimaient un amour que leur séparation n'avait pas réussi à éteindre. Sophie s'était sentie rejetée de ce bonheur et, ne voulant pas s'avouer que ce spectacle la faisait souffrir, elle avait essayé de se faire croire — en le faisant croire aux autres — qu'elle préférait Luc-Alban du Verger. Sur le moment, elle avait obéi à un réflexe de défense, mais ce matin, elle mesurait l'étendue de son erreur et s'en repentait. Son mouvement n'avait pas échappé aux Albert-Lassalle auxquels il était destiné, et sans doute était-ce la raison pour laquelle ils avaient quitté la galerie sans lui dire au revoir. Ils l'avaient blâmée.

— Tiens, Sophie, j'aimerais bien que tu ailles faire cet essayage à domicile, fit Madame Odette.

Sophie avait travaillé d'arrache-pied depuis le matin pour ne pas se laisser envahir par les pensées qui l'avaient torturée en arrivant. Ravie de pouvoir quitter l'atmosphère étouffante du magasin, elle accourut vers la gérante.

— Volontiers, répliqua-t-elle. C'est une nouvelle cliente?

— Non, tu la connais bien. C'est Bérengère Albert-Lassalle. Comme tu es tout le temps fourrée au Queen Victoria, j'ai pensé que ça te ferait plaisir d'y retourner. Je les ai prévenus. Ils t'attendent.

Le cœur de Sophie avait battu plus vite en écoutant Madame Odette. Elle ne pouvait pas refuser ce qui émanait d'une bonne intention : la gérante paraissait si heureuse de ce bon geste pour la petite vendeuse! Et puis, comment lui expliquer l'incroyable mélasse dans laquelle elle pataugeait par sa propre faute... Sophie avait bien trop honte d'elle-même pour avouer à quiconque le revirement de l'attitude des Albert-Lassalle à son égard.

Elle remercia la grosse dame et saisit le paquet d'un air qu'elle voulut avenant.

« Comment Bérengère Albert-Lassalle va-t-elle m'accueillir? Est-ce qu'elle m'en veut encore? » se demanda-t-elle en quittant ses compagnes pour se rendre au Queen Victoria.

— Madame n'est pas ici pour l'instant, mais elle a demandé que vous déposiez la robe. Elle l'essayera toute seule et téléphonera au magasin pour le cas où elle ne lui conviendrait pas.

Sophie écouta la femme de chambre en baissant la tête. Elle se tenait devant la porte de la suite que la vieille dame occupait au second étage du palace. Le jeune groom l'avait laissée dès que la servante était venue lui ouvrir et, à présent, elle se sentait plus seule que jamais.

— Mais je peux attendre, balbutia la jeune fille,

en se disant qu'une entrevue avec Bérengère Albert-Lassalle lui donnerait l'occasion d'expliquer sa conduite. « Ça y est, je l'ai fâchée, c'est irréparable. »

La réponse de la femme de chambre anéantit le peu d'espoir qui lui restait :

— Elle ne sait pas combien de temps elle restera absente. Elle préfère que vous ne l'attendiez pas, répéta-t-elle.

Sophie lui tendit la robe à contre-cœur. A un « au revoir » à peine audible succéda le bruit sec de la porte se refermant.

La jeune fille se retrouva sur le palier. Une panique l'envahit soudain, car elle n'était encore jamais venue dans cette partie du palace. Elle ne parvenait pas à se souvenir par où elle était passée : le couloir, tantôt étroit, tantôt large, faisait des détours capricieux auxquels elle n'avait pas prêté grande attention, tout à l'heure. La décoration n'était pas faite, non plus, pour donner beaucoup de points de repère, et de nombreuses peintures en trompe-l'œil donnaient l'illusion que de vastes galeries débouchaient de part et d'autre du couloir. De fausses portes et de fausses statues identiques à de véritables, situées ailleurs, avaient été peintes sur les murs pour constituer un labyrinthe où chacun était sûr de se perdre. « A l'exception de la vieille dame », se dit Sophie en reconnaissant dans la fantaisie débridée de ce lieu celle de Bérengère Albert-Lassalle. Elle avait dû s'y amuser si fréquemment qu'elle devait le connaître par cœur.

La jeune fille revint sur ses pas en hésitant sur la direction à prendre pour trouver l'emplacement de la cage de l'ascenseur. « Après tout, je trouverai bien quelqu'un sur le chemin, et il me renseignera, se dit-elle, sinon, j'en ai pour une bonne heure. »

Après avoir erré un temps infini parmi de fausses colonnades et de fausses enfilades de salons, après avoir grimpé de nombreuses marches d'escalier et en avoir descendu au moins autant, Sophie reconnut avec soulagement les portes de l'ascenseur.

Elle pressa le bouton commandant la venue de l'appareil. Au lieu de s'allumer, ce qui aurait indiqué que la machine avait enregistré sa pression, il déclencha une sonnerie.

Sophie comprit qu'elle avait été victime d'une illusion : elle avait sonné à une chambre d'hôtel travestie en ascenseur. Des pas se rapprochèrent derrière la cloison et confirmèrent cette pensée. Enfin, la porte s'ouvrit.

Elle tressaillit.

— Tiens, Sophie!

La voix et l'expression de Fabrice Albert-Lassalle exprimaient sa joie de revoir la jeune fille. Mais celle-ci ne put rien répondre. Sa gorge était nouée par l'émotion.

— Entrez donc, poursuivit-il en la saisissant par le bras.

D'abord un peu réticente, elle se laissa attirer à l'intérieur de la chambre sans prononcer une seule parole.

Fabrice referma la porte en tenant toujours Sophie. Puis tout se passa très vite, comme dans un rêve, et Sophie se retrouva dans les bras du jeune homme.

Colette accueillit la jeune fille à son retour.

— Il y a eu un coup de fil pour toi à l'instant.

C'était du Queen Victoria. J'ai pris le message...

Elle s'arrêta brusquement de parler en voyant l'expression de Sophie, puis elle s'exclama :

— Dis-moi, Sophie, il s'est passé quelque chose, là-bas. Tu en reviens... méconnaissable!

Sophie bondit alors sur Colette et l'embrassa bruyamment, puis elle la saisit par la taille en éclatant de rire, et lui fit traverser le magasin en courant.

— Arrête, Sophie! Mais qu'est-ce qui te prend? se défendit Colette.

Les autres vendeuses avaient formé une haie au passage des deux amies. elles étaient pantoises.

— Sophie est en forme, fit observer placidement la gérante du magasin.

— Les essayages au Queen Victoria, ça lui réussit, grommela une autre vendeuse.

Sophie n'écoutait pas. Elle avait arraché le papier des mains de Colette. Il précisait que la jeune fille était invitée pour le week-end suivant à Deauville, dans la villa des Albert-Lassalle.

Elle poussa un cri de joie en le lisant.

— C'est lui! C'est lui qui m'invite!

— Qui, lui?

— Fabrice, bien sûr!

Quelque temps plus tard, Sophie s'efforçait encore de se calmer. En vain. Elle rangeait les vêtements à tort et à travers, obligeant Colette Florent à la surveiller pour éviter une réprimande de la gérante du magasin. Celle-ci l'appela :

— Sophie! On te demande au téléphone.

— Décidément, ma chère, bientôt il faudra t'installer une ligne privée, fit remarquer Colette.

Sophie ne répondit rien et s'approcha de Madame Odette. Elle prit l'écouteur et reconnut immédiatement la voix de Salomé Lévine.

— J'ai appris que tu allais à Deauville cette semaine, dit cette dernière.

— Toi aussi, j'espère, répondit aussitôt la jeune fille.

— Oui. Je te téléphone pour m'excuser. J'avais pensé vous emmener tous dans ma voiture, mais ce n'est pas possible. Le ton de la jeune femme était gêné. Elle poursuivit : je suis invitée demain chez les la Rochemithois, ce sont des amis des Albert-Lassalle. Ils ont un château à cinq minutes de Deauville. Alors, plutôt que de faire un aller et retour, je préfère rester là-bas. Je vous rejoindrai tous vendredi soir. Tu ne m'en veux pas?

— Tu es folle! Je prendrai le train, c'est tout.

Après avoir raccroché, la jeune fille se mit à compter les jours qui la séparaient du week-end. Trois jours lui parurent une éternité.

Sophie composta son billet dans le hall de la gare Saint-Lazare et se mit en marche vers le quai où l'attendait la locomotive qui l'emmènerait vers Deauville. En passant devant un kiosque à journaux, elle marqua un temps d'arrêt, mais elle ne fut pas longue à hésiter : un peu de lecture lui permettrait de passer agréablement le temps du voyage.

Elle fit tourner les présentoirs sur lesquels des romans aux couleurs chatoyantes invitaient à partir pour de lointains pays, puis, comme elle ne parvenait pas à fixer son choix parmi les ouvrages, elle laissa errer son regard sur l'étalage des magazines. Elle finit par prendre un journal de mode dont les potins mondains constituaient l'unique attrait. « Tu deviens futile, ma fille! » se dit-elle en réglant son achat. En réalité, elle savait parfaitement la raison de cet intérêt subit pour les moindres faits et gestes de la haute société. Elle avait besoin qu'on lui parle de Fabrice, et elle était certaine d'obtenir de ses nouvelles dans les chroniques des journaux féminins.

Quelques minutes plus tard, elle trouva le fauteuil qu'elle avait réservé la veille à côté de la fenêtre. La place voisine était encore inoccupée et la jeune fille se surprit à souhaiter qu'elle le restât pendant le reste du voyage : elle avait besoin de se sentir seule.

Elle alluma une cigarette tandis que le train s'ébranlait et se remit à rêvasser; depuis trois jours, elle ne se livrait qu'à cette seule occupation. Elle revoyait inlassablement la minute où Fabrice-Lassalle l'avait embrassée le jour où elle avait sonné par erreur à sa chambre, au Queen Victoria. Cela s'était produit si vite — comme à leur insu — que ni l'un ni l'autre n'avait osé proférer une seule parole. Ils s'étaient séparés brutalement, et la soudaineté de ce geste avait conféré à leur baiser plus de magie encore. La jeune fille s'était sauvée le cœur battant, et ce ne fut qu'à son arrivée au magasin qu'elle avait réalisé l'étendue de son bonheur. Auparavant, elle avait marché telle une somnambule avec, sur les lèvres entrouvertes, l'empreinte de celles de Fabrice.

L'aimait-il? Elle n'en doutait plus depuis cet instant. Quant à elle, elle avait compris enfin qu'elle s'était éprise de lui dès la première seconde où elle l'avait vu dans la rue, alors qu'elle ne savait pas encore qu'il s'appelait Fabrice Albert-Lassalle.

Elle s'était refusé à reconnaître la nature du sentiment qu'elle vouait au jeune homme parce qu'elle avait cru que ce dernier appartenait à Salomé. Cette cécité volontaire s'était exacerbée lors du vernissage, au moment où elle les avait vus tous deux se tenir tendrement enlacés.

Sophie tira une bouffée de sa cigarette et observa les volutes s'élevant vers le plafond du wagon. Mais la fixité de son regard indiquait que sa pensée était loin des ronds de fumée bleutée. Elle sourit de sa sottise : comment avait-elle pu être assez bête pour se précipiter dans les bras de Luc-Alban du Verger ? Par chance, elle n'avait fait que des avances au directeur de la galerie, et celles-ci étaient trop infimes pour pouvoir être interprétées comme le signe d'un encouragement. D'ailleurs, Fabrice ne s'était pas mépris sur les véritables sentiments de la jeune fille, puisqu'il l'avait embrassée avec la fougue d'un amant légitime.

Le train avait dépassé la banlieue parisienne et s'élançait à présent au milieu de vertes prairies bordées de haies. Quelques vaches paissaient à l'ombre des taches rose pâle de pommiers en fleurs. C'était la Normandie comme on la représente sur les images d'Épinal : une terre riche et vallonnée qui avait vu s'élever bien des châteaux et grandir bien des fils de famille. La jeune fille ne put s'empêcher de comparer ce paysage prospère aux plateaux arides et rocailleux qui avaient été le berceau de ses ancêtres; le contraste entre cette région de paysans bien nourris et la terre de famine des siens reflétait l'abîme séparant Fabrice de Sophie.

La conversation qu'elle avait eue avec sa mère

lui revint à l'esprit. Sophie se dit que celle-ci n'avait pas eu tort de la mettre en garde contre le « grand monde ». Dans ce milieu, seuls les mariages d'argent étaient reconnus, et les calculs les plus froids présidaient au choix des époux par des parents attentifs à agrandir le patrimoine familial. L'amour n'avait pas sa place dans cet entrelacs d'intérêts, ou, s'il intervenait, c'était à titre illégitime, comme une action honteuse qu'il faut cacher à tout prix. Sophie se surprit à haïr cette classe. Fabrice était-il réellement un de ces bourgeois? Était-ce l'insouciance et la générosité de la jeunesse qui l'autorisaient à s'écarter de la voie tracée par ses aïeux en choisissant d'aimer une jeune fille qui ne possédait ni titres ni fortune? Ou bien était-il différent de tous ceux parmi lesquels il avait grandi, et envisageait-il l'existence comme le moyen de réaliser des intérêts autres que matériels? Sophie n'était plus tellement sûre ni du jeune homme ni de la passion qu'elle avait provoquée.

Elle fut distraite par une pluie qui s'abattit soudain sur le paysage et stria les vitres du wagon de rigoles obliques. « Pourvu qu'il ne pleuve pas à Deauville », se dit-elle. Elle n'avait emporté, outre la robe de jersey vert pâle qu'elle avait revêtue pour le voyage, que des vêtements de sport assez légers, comme des jeans et des tee-shirts de coton. « Avec tout cela, je ne suis pas très parée pour sortir, si jamais je suis invitée à une soirée. Mais tant pis, je verrai bien sur le moment. Pas la peine de me gâcher le voyage en me torturant pour des problèmes qui ne se poseront peut-être pas », conclut-elle aussitôt.

Un employé de la S.N.C.F. s'approcha de la jeune fille et lui proposa des sandwiches et des boissons. Elle prit un Coca-Cola et se mit à feuilleter son magazine.

Plusieurs pages étaient consacrées à un reportage photographique sur une grande soirée ayant eu lieu récemment et ayant rassemblé tout ce que la capitale comptait de noms prestigieux. Les yeux de Sophie allaient et venaient d'une photo à l'autre, repérant au passage un visage qu'elle avait aperçu dans le magasin de Jean Rousseau. Elle vit que le milliardaire suisse et le prince d'Europe centrale croisés au Queen Victoria étaient également de la partie. « Ils ne s'embêtent pas », songea-t-elle, quand elle détailla les femmes dont ils s'accompagnaient comme d'une parure.

Brusquement, son regard se figea et, dans ses mains, le journal se mit à trembler. Elle venait de voir, sur l'un des clichés, Salomé et Fabrice. Elle se reporta immédiatement à la légende de la photo. Ses craintes se muèrent en certitude à la lecture de cette dernière : « Salomé Lévine renoue avec Fabrice Albert-Lassalle. On chuchote qu'un mariage est en vue... »

Ainsi Fabrice n'avait fait que se jouer de la jeune fille! Il était fiancé à Salomé et n'avait considéré Sophie que comme un flirt sans lendemain! Colette lui avait pourtant conseillé de se méfier du jeune homme; ne l'avait-elle pas qualifié de « don Juan »? Cet homme insensible séduisait donc les femmes qu'il rencontrait et, lorsqu'il était certain de leur conquête, il les laissait platement tomber.

Le train entrait en gare de Deauville. La jeune fille se demanda si elle n'allait pas se rendre directement au guichet pour acheter un billet de retour. Elle voulait repartir pour Paris sans voir la famille Albert-Lassalle. Elle ne se sentait pas la force de sourire et de plaisanter et, par-dessus tout, elle appréhendait la rencontre avec celui qui l'avait bafouée.

Elle sortit un petit miroir de son sac et vérifia que ses yeux n'étaient pas rouges, car elle avait pleuré tout à l'heure. Tandis qu'elle se recoiffait, son wagon s'immobilisa le long du quai.

Elle prit ses affaires, se leva et se dirigea vers la porte de sortie. Elle descendait les marches, lorsqu'elle entendit une voix masculine :

— Sophie! Sophie!

Elle reconnut Luc-Alban du Verger.

— Qu'avez-vous, Sophie? Je ne vous ai jamais vue ainsi.

Elle fut touchée par l'inquiétude qui transparaissait dans le ton du directeur de la galerie. Après tout, cet homme pouvait avoir de nombreux défauts, mais il n'en était pas moins capable de lui apporter un réconfort en un moment où elle se sentait désemparée.

Elle s'efforça de sourire en le saluant.

— Merci d'être venu

— J'aurais été grossier de ne pas le faire, rétorqua-t-il avec un regard plein de sous-entendus.

Sophie repensa avec horreur que son attitude lors du vernissage avait donné des espérances à Luc-Alban du Verger. « Comment me défaire de lui? Il ne va pas me lâcher d'une semelle », se dit-elle.

L'homme lui prit son sac de voyage.

— Venez, ma voiture est garée en face de la gare, fit-il.

100

Sophie lui emboîta le pas en silence. Ils marchèrent côte à côte quelques minutes, puis, comme le mutisme de la jeune fille appesantissait l'atmosphère entre eux, Luc-Alban du Verger se mit à soliloquer, décrivant la région de Deauville, ses fastes et ses snobismes. Ce sujet le rendait intarissable : il avait dû étudier le Gotha par cœur.

Elle songea qu'elle ne pouvait se taire sans offusquer son interlocuteur. Aussi fit-elle semblant de s'intéresser à ses propos en l'interrogeant à brûle-pourpoint :

— Les Albert-Lassalle font partie de ce monde, je pense. Ils viennent souvent ici?

— Oui, surtout Fabrice. Il organise des week-ends pour des amis.

— Comme aujourd'hui, répondit-elle, heureuse, malgré tout, d'entendre prononcer le nom de celui qu'elle aimait.

— Non, aujourd'hui, c'est sa grand-mère qui a tout organisé.

La gorge de la jeune fille se serra.

— Vous ne dites plus rien, Sophie?

Comme elle ne réagissait pas, Luc-Alban du Verger s'arrêta de marcher, puis il attrapa la jeune fille par l'avant-bras et l'interrogea en la regardant droit dans les yeux :

— Mais enfin, qu'avez-vous?

— Embrassez-moi, lui fut-il répondu d'une voix étranglée.

CHAPITRE VII

— EMBRASSEZ-MOI, répéta Sophie.

Elle se tournait vers Luc-Alban, l'air suppliant et atterré, comme on regarde un dernier recours. Ses yeux bleus étrangement fixes, elle attendait sans attendre, elle espérait sans espérer. Seuls les longs cils courbes frémissaient.

— Sophie, vous n'êtes pas dans votre état normal! Que se passe-t-il? s'alarma son compagnon.

Il la sentait désarmée, et cependant il hésitait à en tirer avantage. Elle le comprit sur-le-champ et baissa les yeux. Comment lui expliquer ce moment de détresse, comment lui faire comprendre qu'en agissant ainsi, elle voulait seulement essayer d'échapper au désespoir qui la submergeait?

— Rien, ce n'est rien, fit-elle d'une voix rauque.

Il n'insista pas et il se remit en route, en la conviant à lui emboîter le pas.

Comme ils pénétraient dans le hall de la gare, au milieu des gens venus chercher les passagers, elle revit dans un éblouissement l'instant où Fabrice l'avait prise contre lui... Plus encore que la photo du magazine, le souvenir de ce baiser la torturait. Comme Fabrice avait été habile, comme il avait bien su jouer de la naïveté de celle qui avait cru à sa sincérité... Par cruauté? Non, même pas : pour le seul plaisir de séduire. Et, suprême ironie, Sophie allait maintenant le retrouver, alors qu'il n'avait pas songé à l'inviter. Qu'allait-il penser d'elle? Qu'elle avait accepté de venir pour l'importuner avec son amour?

Brusquement, elle se hâta vers la sortie. En deux enjambées, Luc-Alban la rejoignit.

— Voici ma voiture, déclara-t-il sans pouvoir masquer son orgueil.

A quelques mètres sur leur gauche, une Rolls blanche était en stationnement. Gigantesque, d'une dorure rutilante, le faux blason, orné de trois licornes, de deux dragons, de quatre lions, et même d'un petit ours, pavoisait sur les portières. Décidément, Luc-Alban ne faisait pas les choses à moitié!

— N'est-ce pas qu'elle est sublime? Je l'ai achetée il y a deux mois. C'est le modèle dernier cri. J'ai pris toutes les options. Et j'ai fait rajouter des détails encore plus raffinés.

— Vous n'avez pas de chauffeur noir en livrée blanche? demanda Sophie avec une ironie à peine déguisée.

— Si, fit-il avec candeur. Mais pour le moment, je conduis moi-même.

Il lui tint la portière tandis qu'elle prenait place sur le siège moelleux, recouvert d'une peau de panthère incrustée de vison. Sur les côtés, quatre candélabres d'or massif soutenaient des bougies rose bonbon. Une chaîne hi-fi diffusait un concert de trompes de chasse.

— La villa est tout près d'ici, fit-il en s'installant au volant, qui portait lui aussi l'effigie du blason. Malheureusement, elle n'est pas en bordure de mer. Ça aurait été mieux avec vue sur les planches.

Sophie aurait tout donné pour se retrouver seule, loin de ce parvenu grotesque, et loin surtout de l'homme qu'elle verrait dans quelques minutes. Pourtant, elle s'efforça de prendre intérêt à la conversation :

— Pourquoi, les planches? interrogea-t-elle.

— Vous ne saviez pas? C'est la promenade favorite de toutes les vedettes à la mode, surtout lors du festival de cinéma. Cela dit, c'est un endroit qu'envahissent de plus en plus les touristes, et c'est dommage.

— Il faut bien qu'ils se promènent quelque part, eux aussi!

Tout de suite, elle regretta l'agressivité de sa réplique. Après tout, Luc-Alban n'était pour rien dans ce qui lui arrivait.

Il lui sourit, sans rancune, tandis que l'extravagante voiture freinait à un feu rouge. Une jeune femme élégante traversa la rue, en tenant en laisse un lévrier afghan.

Elle observa son compagnon à la dérobée. Avec son faux nom, son monocle de diamants, ses cravates délirantes et son blason qui ressemblait à un zoo, Luc-Alban du Verger jouait une comédie mondaine à laquelle personne ne croyait. Sans doute devait-il se sentir mal dans son élément, lui aussi. « Au fond, nous sommes aussi perdus l'un que l'autre », songea-t-elle. Elle décida de se montrer plus aimable avec lui, à l'avenir.

Sans bruit, la Rolls obliqua dans une rue où les villas, hautes d'un ou deux étages, tournaient vers la chaussée des pignons garnis de bois de colombage et surmontés de hautes toitures.

— Celle des Albert-Lassalle est plus spacieuse et plus ancienne, précisa Luc-Alban. Elle s'appelle le Vingt et Un. Tout simplement parce qu'elle est au numéro 21 de la rue.

— J'avais deviné...

Il s'arrêta devant un portail de bois derrière lequel on apercevait une pelouse de gazon anglais et, plus loin, entre un bosquet de chênes et un verger de pommiers en fleurs, la haute silhouette d'une villa qui avait les dimensions d'un château. Le soleil couchant rougeoyait sur le toit.

Quand Sophie gravit les cinq marches du perron, suivie par Luc-Alban qui portait son bagage, Fabrice vint à sa rencontre. S'avançant vers elle, il lui dit, avec une courtoisie sèche :

— J'aurais voulu aller vous chercher à la gare, Sophie, mais j'étais au téléphone, en communication avec le directeur de ma banque. L'entretien était aussi long qu'important. Je vous demande de m'en excuser. Avez-vous fait bon voyage?

— Excellent, je vous remercie.

Elle avait résolu d'affecter un air insouciant. Elle ne lui offrirait pas cette joie de se montrer abattue devant lui.

Il lui fit traverser un vestibule où une commode rustique faisait face à une horloge au balancier de cuivre sculpté. Le salon, quant à lui, mêlait le confort campagnard et le raffinement du XVIIIᵉ siècle. Bérengère Albert-Lassalle était assise près d'un guéridon de citronnier. Entre deux portes-fenêtres, un feu crépitait dans une cheminée de pierre et répandait une lueur douce sur un paravent en laque de Coromandel.

— Ma petite Sophie! Que je suis heureuse de vous voir! s'écria la vieille dame en l'embrassant.

Sophie lui rendit son sourire et prit place dans un fauteuil de velours vert.

— En fin de compte, poursuivit Bérengère, j'ai bien fait de ne pas vous demander de m'attendre, l'autre jour. Delmont — notre homme de confiance — m'a retenue indéfiniment.

Luc-Alban s'était éclipsé. Fabrice se tenait debout près de la cheminée, derrière sa grand-mère. Il se taisait, l'air absent. Sa présence n'était visiblement due qu'à la stricte politesse. Les reflets dorés du crépuscule laissaient glisser une onde lumineuse dans ses cheveux d'or mat. Le bleu gris de ses yeux en amande était voilé par une expression qui ressemblait à de la lassitude. Jamais il n'avait été aussi beau, aussi séduisant, et Sophie en ressentit un trouble douloureux.

— Avant que nous bavardions, mon enfant, reprit la vieille dame, vous désirez sans doute vous installer dans votre chambre. Fabrice va vous y conduire... Fabrice, mon chéri, répéta-t-elle.

Il sursauta, l'air surpris, comme si ses pensées suivaient un tout autre cours.

— Excusez-moi, Bonne-Maman. Sophie, si vous voulez bien m'accompagner...

Il s'empara du sac de voyage que Luc-Alban avait posé sur une chaise du vestibule et invita la jeune fille à gravir un escalier de bois qui fleurait bon l'encaustique. La pendule du rez-de-chaussée sonna la demie.

D'un geste nonchalant, il ouvrit l'une des huit portes qui donnaient sur le palier du premier étage. Toujours aussi peu loquace, il introduisit Sophie dans une chambre qui évoquait le printemps. De grandes fleurs blanches couraient sur un papier mural bleu marine. Les rideaux et le couvre-lit étaient faits d'un tissu identique. L'ensemble était égayé par le jaune vif mais discret de l'étoffe qui recouvrait une petite table ronde, où était posé un bouquet de primevères.

— C'est une vraie chambre de jeune fille, dit Sophie, enchantée.

— Oui... fit distraitement Fabrice. Les fenêtres ouvrent sur le jardin. Là-bas, derrière cette porte, vous avez un cabinet de toilette personnel.

Le ton était froid. Non pas hostile, pire que cela : indifférent. En cet instant, Sophie aurait presque préféré qu'il se montre agressif, qu'il devienne odieux, pourvu qu'il sorte de cette réserve et de ce mutisme qui la blessaient plus que tout.

Si sa grand-mère souhaitait la présence de la jeune fille à Deauville, lui, du moins, ne partageait pas cet avis. Mais pourquoi ne s'y était-il pas opposé? Il aurait eu assez d'autorité pour le faire. La réponse était évidente : il mettait cette invitation au compte des fantaisies de la vieille dame. Et, s'il avait cédé, c'était tout simplement parce que cela lui importait peu.

Comme il allait quitter la chambre, il se retourna soudain vers Sophie. Il hésitait à parler. L'espace d'une seconde, elle crut qu'il allait abandonner son attitude impersonnelle, qu'il allait la prendre dans ses bras, comme l'autre soir, et qu'il allait lui murmurer les mots que de toutes ses forces elle désirait entendre...

Au lieu de cela, il se reprit et déclara avec détachement :

— J'aime que l'on porte une tenue habillée pour le dîner. Mais votre robe conviendra parfaitement.

Il l'aurait giflée, qu'elle n'aurait pas ressenti un choc plus violent.

Avant de dîner, Sophie était redescendue au salon, où l'attendait Bérengère Albert-Lassalle. Bientôt, Luc-Alban les avait rejointes. Fabrice demeurait introuvable.

La vieille dame évoqua les invités :

— Thibaut et Cécile de la Rochemithois vont venir avec Salomé et Cyrille. Leurs parents se trouvent en ce moment en Norvège et leur laissent la libre disposition du château. Ils sont charmants, vous verrez, Sophie. Que de jeunes gens il y aura ici!

Elle paraissait ravie. Pourquoi Fabrice n'avait-il pas hérité de l'heureux caractère de sa grand-mère?

Un crissement de pneus sur le gravier de l'allée les avertit de l'arrivée des quatre amis. Fabrice traversa le vestibule en courant.

— Une panne! s'écria Salomé en pénétrant dans le salon, sa main emprisonnée dans celle de Fabrice. Heureusement, Thibaut nous a sortis d'affaire.

Celui-ci s'avança, et quand on le présenta à Sophie, elle remarqua un visage carré, énergique, qu'adoucissait un regard plein de bienveillance. Cécile de la Rochemithois, qui devait être la cadette, était aussi blonde que son frère était brun. Ses yeux bleus révélaient ses origines normandes. Cyrille entra à son tour, saluant à la ronde avec sa grâce habituelle.

— Mon cher prince, s'exclama Luc-Alban en se précipitant, avez-vous pensé à vérifier si le tableau dont je vous ai parlé...

Sophie n'écoutait plus. Elle n'avait d'yeux que pour Fabrice, qui avait pris place à l'autre bout de la pièce, sa main enserrant toujours celle de Salomé. Sa distraction, son air absent avaient disparu...

Le journaliste avait dit vrai : Fabrice et Salomé avaient renoué. L'hésitation n'était plus permise, à présent... Tout contribuait à renforcer cette certitude : les sourires complices qu'ils échangeaient, leur joie manifeste de se retrouver, la tendresse de leurs regards. Sophie se prit à souhaiter que ce week-end s'achève au plus vite. Le spectacle de ce bonheur la meurtrissait.

Le dîner la mit au supplice. Fabrice et Salomé paraissaient unis par un lien que rien ne pourrait plus briser, désormais. Fabrice, d'ordinaire si réservé, laissait libre cours à sa gaieté. De tous les hommes qui se trouvaient là, c'était lui le plus brillant, et la force de sa personnalité dominait nettement l'assistance. Sophie lui en voulut de n'être pas insignifiant, laid, stupide. Comment pourrait-elle se détacher de lui? Et pourtant, il fallait à tout prix qu'elle y parvienne.

Avec un enjouement qui sonnait faux, elle demanda à Luc-Alban de lui parler de ses prochaines expositions de peinture.

— Je voudrais tout centrer sur un thème unique, répondit-il : celui de l'amour, probablement. Don Juan, la séduction, enfin vous voyez...

— C'est un sujet bien difficile, objecta Fabrice, d'une voix inexplicablement sèche.

— Et puis, observa Sophie en essayant de dissimuler son amertume, don Juan ne peut être heureux qu'en causant le malheur de celles qui l'aiment.

— Quel ton désabusé, chez toi qui es si jeune! s'écria Salomé.

— Tiens, vous vous tutoyez? interrogea Luc-Alban.

— Mais oui, dit Salomé.

Il se pencha alors vers Sophie et profita de ce qu'ils étaient voisins de table pour lui glisser à l'oreille :

— J'espère que vous me ferez bientôt ce plaisir, à moi aussi.

Embarrassée, elle répondit d'une manière évasive.

Au moment du café, comme tous avaient regagné le salon, Salomé quitta un instant Fabrice pour venir s'asseoir à côté de Sophie.

— Que se passe-t-il? murmura-t-elle. Tu as des ennuis?

— Qu'est-ce qui te fait dire ça?

— Ton expression pendant le dîner... La réflexion que tu as faite, à propos de l'amour... Mais je suis peut-être indiscrète?

— Non, non... Mais personne ne peut m'aider. Je ne peux compter que sur moi, Salomé. Et encore...

— Tu aimes et tu penses que c'est sans espoir, n'est-ce pas? Tu as tort, je te l'affirme : jolie comme tu es... Il ne faut jamais perdre espoir. Jamais. Un sentiment profond finit toujours par triompher, Sophie, même s'il faut des années pour y parvenir. Je le sais. Je le sais.

Elle avait répété cette dernière phrase avec une ferveur qui surprit la jeune fille. Avait-elle donc désespéré de l'amour de Fabrice, elle aussi? L'avait-il fait souffrir comme il faisait maintenant souffrir Sophie?... Mais plus jamais Salomé n'aurait l'occasion d'éprouver semblable douleur. Celui qu'elle aimait depuis dix ans lui était enfin revenu.

En son for intérieur, Sophie maudit le sort qui en avait disposé ainsi. Contre toute autre rivale, elle aurait pu éprouver de la rancœur. Mais elle ne trouvait rien à reprocher à Salomé. Au contraire, elle éprouvait une réelle affection pour la jeune femme, et elle était sûre que cette amitié était partagée. Fabrice et Salomé s'aimaient, voilà tout. A trente ans passés, ils venaient de retrouver leur passion d'autrefois, mais approfondie, embellie, par les épreuves qu'ils avaient subies. La seule consolation, pour Sophie, aurait été de haïr Salomé pour tout le mal qu'elle lui faisait sans le savoir. Mais cela, elle ne le pouvait même pas.

Tournant la tête, elle aperçut Luc-Alban qui lui souriait. D'un coup, sa résolution fut prise. Elle devait se montrer forte, du moins en apparence. Elle feindrait d'ignorer Fabrice avec autant d'allégresse qu'il l'avait délaissée pour Salomé.

— Si le temps est beau, demain, fit Luc-Alban, j'aimerais vous faire voir les planches de Deauville, Sophie.

— J'en serai ravie. Depuis que vous m'en avez parlé, je meurs d'envie d'y aller.

Elle se demanda aussitôt si elle n'avait pas forcé la note. Mais non : Luc-Alban souriait, satisfait, sans s'étonner du revirement de Sophie à son égard. D'ailleurs, avait-il seulement remarqué combien il l'agaçait?

— Eh bien, quoi! Pas encore debout?

Salomé se tenait au pied du lit. Sophie émergea avec difficulté du sommeil lourd qui s'était emparé d'elle, à l'aube, après une insomnie tenace.

— Il est plus d'onze heures, poursuivit Salomé. Je suis passée te voir à neuf heures. Tu dormais si bien que je n'ai pas osé te réveiller. Nous sommes tous allés faire un tour sur les planches. Cyrille a absolument tenu à offrir une tournée générale de glaces à la framboise. Même tante Bérengère a accepté! Et Luc-Alban a dit que c'était très « parisien »!

Salomé parlait vite, riait, se reprenait, avec la gaieté inimitable d'une femme amoureuse. Devant la mine défaite de son amie, elle s'interrompit.

— Pardonne-moi, je t'importune... Tu... tu veux que je te fasse monter du café?

— Oh oui, j'en ai bien besoin!

— Bien. Au fait, j'allais oublier : Estelle arrive après le déjeuner. Passons... Luc-Alban voudrait aller se promener avec toi en début d'après-midi.

— Mon Dieu, j'avais complètement oublié!

— Le pauvre, s'il t'entendait! A part ça, Cécile te trouve très sympathique. Et Thibaut espère te revoir.

— Ils s'en vont?

— Oui, cet après-midi. Je les reconduirai, puisqu'ils n'ont pas pris leur voiture. C'est tout près. Cécile attend la visite de son fiancé, Jean-Pierre, qui se rendra directement à la Rochemithois. Elle ne veut pas être en retard, tu penses.

La question jaillit en dépit de la volonté de Sophie :

— Et Fabrice?

— Il est venu sur la plage, comme tout le monde, mais il est vite rentré. Il a passé le reste de la matinée au téléphone. Tu sais, je crois qu'il se passe quelque chose d'anormal, pour le Queen Victoria. Mais Fabrice ne veut rien me dire.

CHAPITRE VIII

SOPHIE écoutait ses pas résonner avec un bruit sec et mat sur le bois grisâtre des planches. Comme convenu, elle avait accepté d'accompagner Luc-Alban après le déjeuner. Elle regarda distraitement les cabines de bain aux rayures vives, sur la droite. Quelques passants isolés se promenaient sur le sable. Vers la gauche, un petit bâtiment clair aux formes baroques se découpait sur une pelouse d'un vert intense.

La fraîcheur de ces couleurs aurait eu de quoi la séduire, en temps normal, mais aux côtés de cet homme qu'elle n'aimait pas, elle n'avait qu'une hâte : rentrer. Elle décida cependant de laisser s'écouler quelques minutes, par correction.

A brûle-pourpoint, il lui demanda :

— Vous sentez-vous mieux qu'hier ? Je veux dire... Enfin, vous m'avez fait peur, à la gare... Sophie, vous ne pouvez savoir combien j'ai souffert de vous voir si malheureuse. Je voudrais tellement vous aider, vous consoler... Mais je ne veux à aucun prix vous importuner avec des questions... Je m'explique mal, mais je suis sûr que vous comprenez.

— Bien sûr, et votre gentillesse me touche beaucoup.

— Il ne s'agit pas de gentillesse, Sophie, mais de... de cette attirance que j'éprouve envers vous. Vous l'aviez deviné, n'est-ce pas? Le moment est mal choisi pour vous le déclarer, mais je voudrais que vous sachiez... je ne sais comment vous dire... Sophie...

Il hésitait, bégayait, avec un sourire désolé et pitoyable. Un vent de printemps agitait les dentelles de son jabot, qui se relevaient obstinément vers son visage, comme les pétales de quelque fleur grotesque. L'éclat des diamants de son monocle semblait lui-même terni.

Où était le parvenu plein de suffisance que tous connaissaient? Sophie n'avait plus en face d'elle qu'un homme maladroit et désemparé. En une seconde, elle comprit la raison de la comédie mondaine qu'il jouait. Son mauvais goût tapageur répondait à un seul besoin : se donner l'illusion d'être « quelqu'un », pour acquérir toute la confiance en lui qu'il ne possédait pas.

Elle le sentait aussi vulnérable qu'elle l'était elle-même en face de Fabrice. Comme tout aurait été simple si elle s'était éprise de lui! Mais comment le lui faire comprendre sans le blesser? Elle esquissa un pauvre sourire. Il la tira d'embarras en disant :

— Bien sûr, il est encore trop tôt pour que je vous parle de mes sentiments. Je comprends, Sophie. Je ne veux pas vous brusquer... Désirez-vous que nous retournions à la villa, maintenant?

Elle acquiesça avec reconnaissance.

A peine eurent-ils traversé la pelouse pour se

diriger vers la villa, qu'une silhouette surgit du bosquet de chênes : Estelle Albert-Lassalle accourait au-devant d'eux. Sans un mot, elle agrippa le bras de Luc-Alban et l'entraîna dans le jardin.

Devant le perron, le moteur de la petite voiture noire de Salomé tournait déjà. En haut des marches, Bérengère Albert-Lassalle faisait ses adieux à Thibaut et à Cécile de la Rochemithois. Fabrice, penché vers la portière, échangeait quelques mots avec Salomé, qui était au volant. Cyrille, accoudé à la balustrade du perron, contemplait cette scène avec intérêt.

— Ah, Sophie, nous ne voulions pas partir sans vous dire au revoir, s'écria Thibaut en se précipitant vers elle. La Rochemithois est tout près d'ici, et j'espère que vous viendrez tous nous y faire bientôt une visite... Au fait, pourquoi ne pas fixer une date dès maintenant? Par exemple, que diriez-vous du week-end prochain? Fabrice, qu'en penses-tu?

— J'en pense le plus grand bien, répondit gaiement celui-ci.

— Et vous, tante Bérengère? demanda Cécile.

— Moi, malheureusement, je ne pourrai pas. Je dois rester ici pour le tournoi de bridge de l'amiral — notre voisin. Il m'en voudrait à mort si je ne venais pas. Mais que cela ne vous empêche pas de vous amuser, mes enfants!

Ayant dit, elle leur adressa un dernier sourire et regagna l'intérieur de la villa.

Salomé et Cyrille avaient donné leur accord.

— Et vous, Sophie? insista Thibaut.

— Je viendrai, bien sûr, fit-elle sans réfléchir.

Aussitôt, elle regretta d'avoir accepté. Certes, Thibaut et sa sœur lui étaient sympathiques, mais était-il sage de passer un nouveau week-end en compagnie de Fabrice, alors qu'elle s'était promis de tout faire pour l'oublier? De toute façon, il était trop tard pour reprendre sa parole.

Après de nouveaux adieux, égayés par la perspective de tous se retrouver dans une semaine, la voiture se mit en route. Sophie gravit lentement les marches du perron, suivie par Cyrille. Fabrice formula une vague excuse et s'éloigna.

Tôt dans la soirée, alors que Sophie était remontée à sa chambre, encore essoufflée par le match de ping-pong qui l'avait opposée à Cyrille, la bonne vint la prévenir que Bérengère Albert-Lassalle demandait à la voir. Intriguée, la jeune fille se rendit au deuxième étage, où se trouvait la chambre de la vieille dame.

Un parfum de lavande la saisit dès son entrée dans la pièce. Dans un décor tout imprégné de ce XVIIIe siècle qu'elle affectionnait et qui s'harmonisait si bien à son style d'élégance, la vieille dame lisait un ouvrage ancien, assise de biais sur un canapé tendu de soie grège. L'usure de la reliure indiquait que ce devait être son livre de chevet, lu et relu depuis des années. Avec son jean et son tee-shirt, Sophie eut l'impression de pénétrer dans une autre époque.

— J'aurais voulu que nous bavardions plus tôt, commença Bérengère, mais, avec toutes ces allées et venues d'invités, ce n'était guère possible...

Elle laissa passer quelques secondes avant de continuer :

— La première fois que je vous ai vue, sur la terrasse où vous faisiez sécher votre robe, j'ai reconnu en vous une chose très rare : une sorte de grâce, d'élégance innée... Avec un tel atout, vous pourriez, si vous le vouliez, devenir « quelqu'un », comme on dit. Je voulais vous dire que, si vous aviez besoin de conseils, je pourrais vous aider bien volontiers... La vieillesse a au moins le privilège de l'expérience.

Tout d'abord surprise, la jeune fille ne sut que répondre. Elle pensait aux fées-marraines des contes de son enfance.

— Madame, vous êtes d'une e rême générosité, dit-elle finalement.

— Pas du tout. C'est une man me rendre utile. Cela aussi, c'est le propre âge. Ou tout au moins, cela devrait l'être.

Sophie fut d'autant plus frappée par l'humilité de ces derniers propos qu'elle avait rarement rencontré des gens animés de sentiments aussi désintéressés.

Mais pouvait-elle accepter? Si Fabrice l'avait aimée, avec quelle joie elle se serait laissé initier aux manières et à la mentalité de ce monde où il était né, pour lui ressembler... Or il n'éprouvait pour elle que de l'indifférence.

Soudain, sa décision fut prise. Puisque le cœur de Fabrice lui demeurait inaccessible, puisqu'elle n'avait rien à espérer, elle essaierait de se rapprocher de lui de cette manière, malgré lui, même si cela ne servait à rien.

Ne voulant pas s'appesantir sur ce sujet, la vieille dame s'était mise à lui parler des habitués du Queen Victoria, et, inévitablement, elle en était venue à prononcer le nom de Fabrice.

Après une courte hésitation, la jeune fille résolut de ne pas se confier à elle. Elle ne mettait en doute ni sa discrétion ni sa bienveillance, mais elle se rendait compte que, dans le domaine des sentiments, il valait mieux avoir le courage d'affronter seul ses propres problèmes.

Aussi se borna-t-elle à avouer que Fabrice la déconcertait.

— Vous n'êtes pas la seule dans ce cas, répondit Bérengère en souriant. Il est tellement contradictoire : si autoritaire, et en même temps capable d'une telle douceur... Quand sa mère est morte, en mettant au monde une petite fille qui n'a pas vécu, c'est moi qui l'ai élevé. Je lui ai servi de seconde mère et je sais qu'il m'aime beaucoup, et pourtant il y a des moments où je ne le comprends pas.

— Cyrille pense que son caractère est lié à l'importance des responsabilités dont il a la charge.

— C'est vrai, mais cela n'explique pas tout. Je crois que, de toute façon, Fabrice est un homme très absolu. Et c'est particulièrement net en ce qui concerne ses sentiments.

— Comment cela? demanda Sophie, le cœur battant.

— Il fait partie de ces gens pour qui l'amour représente l'essentiel.

— Pourtant, il a la réputation d'un don Juan.

— Ce n'est qu'une façade. Au fond de lui, Fabrice est un être passionné. Seulement, il a trop de pudeur pour le laisser deviner, et assez d'intelligence pour ne pas montrer combien cela le rend vulnérable.

D'une manière inattendue, la vieille dame désigna le livre qu'elle avait posé à son côté, sur le canapé, en disant :

— C'est mon auteur préféré, La Bruyère. Eh bien, il a écrit une phrase qui semble faite pour

Fabrice : « On n'aime qu'une fois, la première. »

— Fabrice est donc de ces êtres pour qui un premier amour compte plus que tout?

— Sans aucun doute.

S'il était resté quelque espoir à Sophie, cette simple phrase aurait suffi à le détruire. La grand-mère de Fabrice venait de résumer toute la vérité en quelques mots. Voulait-elle ainsi mettre la jeune fille en garde contre un amour sans issue? Non : aucun regard appuyé n'avait accompagné ces paroles, aucune allusion n'avait été faite à Salomé. Manifestement, la vieille dame ignorait ce qui apparaissait à Sophie comme une évidence. Seule la fierté empêcha la jeune fille de fondre en larmes.

La journée du dimanche s'écoula vite, si vite que, le soir, dans la voiture de Salomé qui la ramenait à Paris, elle en gardait le souvenir d'une succession d'instants assombris par l'attitude de Fabrice à son égard. Fidèle à sa politesse froide, il ne lui avait adressé la parole que comme à une invitée parmi d'autres.

En revanche, la semaine qui suivit fut interminable. Jean Rousseau préparait une nouvelle collection. Sophie, qui d'ordinaire se passionnait pour ce travail, n'accordait qu'une attention distraite à ce qui se passait autour d'elle.

La perspective d'un nouveau week-end en compagnie de Fabrice l'attirait et l'intimidait à la fois. Elle sentait qu'il lui aurait fallu refuser de venir. Et, cependant, une nécessité impérieuse la poussait à ne pas se décommander. Coûte que coûte, elle voulait revoir Fabrice. Tout se passait comme si l'amour qu'elle éprouvait pour lui ne dépendait pas de sa volonté... Tout était arrivé trop vite, comme dans un tourbillon qu'on ne parvient pas à maîtriser.

Le vendredi à midi, alors qu'elle quittait le magasin pour aller déjeuner avec Colette, elle reçut un coup de téléphone de Salomé :

— Cette fois, je ne te fais pas faux-bond, annonça celle-ci. Je viendrai te chercher demain matin chez toi, si cela te convient. Nous serons à la Rochemithois vers midi. J'espère que ta mère n'est pas trop désolée que tu passes encore ce week-end sans elle?

— Non, fit Sophie, touchée par cette délicatesse. Je vais dîner chez elle ce soir et je lui expliquerai.

— Bien. Surtout, ne prends pas trop de bagages. Ton sac de l'autre jour ira très bien. Autrement, nous serions à l'étroit : j'emmène aussi Fabrice et Cyrille. Ce sera plus simple.

La petite voiture noire longeait à présent le bord de mer. Un soleil matinal illuminait la campagne. Assise à l'avant, à côté de Salomé, Sophie se taisait. Derrière elle, Fabrice s'enfermait dans un mutisme soucieux. Une querelle l'aurait-il opposé à Salomé? Ou bien s'agissait-il des difficultés du Queen Victoria? Cyrille faisait seul les frais de la conversation.

— Je peux bien le dire, maintenant, avoua-t-il, quand Thibaut nous a conviés à venir, l'autre jour, j'ai tremblé qu'il n'invite aussi Luc-Alban.

Fabrice sortit brusquement de son silence pour lancer d'un ton sec :

— Pourquoi? C'est un homme charmant!

— Tu trouves? s'écria Cyrille, décontenancé par

cette réaction. Moi, je peux de moins en moins le supporter. Enfin, je n'insiste pas.

— De toute façon, ajouta Salomé pour faire diversion, il n'aurait pas pu venir. Il paraît qu'il doit rester à Paris pour régler une question urgente.

Fabrice émit un « tiens, donc! » où perçait une inexplicable contrariété.

CHAPITRE IX

A une vingtaine de kilomètres de Deauville, le château de la Rochemithois se dressait sur une colline en pente douce. Le soleil, à son zénith, tombait à la verticale sur le toit d'ardoises aux hautes cheminées de pierre. L'architecture simple mais élégante de la façade de brique était adoucie par du lierre grimpant.

Dès qu'ils avaient entendu le moteur de la voiture, Thibaut et sa sœur s'étaient précipités pour accueillir leurs invités.

Tandis qu'elle échangeait quelques paroles avec Cécile de la Rochemithois, Sophie surprit un aparté entre Fabrice et Thibaut :

— Excuse-moi de te demander ça dès mon arrivée, disait Fabrice, mais aurais-tu un journal de ce matin avec les cours de la Bourse?

— Pas encore. On me l'apportera tout à l'heure. Je te le donnerai aussitôt... Quelque chose de grave?

— Je ne sais pas... Nous verrons.

De sa démarche féline qui faisait virevolter sa robe, Salomé s'approcha des deux hommes, avec une moue malicieuse :

— On est en train de conspirer, à ce que je vois?

— Oui, dit Fabrice. Mais Thibaut et moi, nous ne sommes pas les coupables.

Le ton était grave. Ne sachant s'il plaisantait, Salomé reprit :

— Et qui est la victime?

— Le Queen Victoria... Je t'expliquerai.

Le déjeuner touchait à sa fin, quand Cécile eut l'idée de proposer une partie de tennis dans le court privé qui se trouvait au fond du parc. A cet instant, une voiture klaxonna au-dehors.

— C'est Georges, le régisseur, expliqua Thibaut. Il m'apporte toujours le courrier du samedi. Tu viens, Fabrice?

Les deux hommes se précipitèrent en même temps.

Quand ils revinrent dans la salle à manger, Fabrice avait déjà ouvert le journal, qu'il avait commencé à lire, debout contre le chambranle de la porte. Les yeux baissés, les lèvres serrées, son expression s'était durcie. L'inquiétude transparaissait sur son beau visage.

Il avait à peine blêmi, et pourtant ce fut d'une voix sans timbre qu'il annonça :

— C'est bien ce que je redoutais. Le cours du Queen Victoria a subi une légère baisse.

Sophie le vit tellement préoccupé qu'elle ne put s'empêcher de lui demander :

— Qu'est-ce que cela signifie?

— Pas une faillite, rassurez-vous. Disons que c'est mauvais signe. L'hôtel est constitué en société anonyme, avec des actions. Mais, en toute logique, les cours ne devraient pas varier en ce moment.

— Alors, cela veut-il dire que quelqu'un les fait baisser dans un but précis?

— Exactement. Toute la question est de savoir

qui et pourquoi. D'après Delmont, notre homme de confiance, le danger viendrait de quelqu'un qui nous toucherait d'assez près pour être au courant de tout ce qui concerne la gestion du Queen Victoria et pour saisir l'instant opportun. Je vous épargne les détails, mais tout me porte à croire qu'il a raison.

— Et ce Delmont, justement? interrogea Cyrille. Tu es sûr de lui?

— Autant que de moi-même, dit Fabrice sans hésiter. Il travaille pour nous depuis trente ans... J'ai des soupçons, je ne vous le cache pas, mais ils touchent à quelqu'un d'autre. En tout cas, je préfère ne pas en parler : si je me trompais... Si j'avais raison, les causes de ces agissements seraient tellement ahurissantes... Mais assez discuté de mes problèmes. Thibaut, si tu me le permettais, je voudrais téléphoner à Delmont...

— Mais bien sûr, voyons.

— Merci. Et ensuite, rendez-vous au court de tennis.

Comme il quittait la pièce, il se retourna quelques secondes vers Sophie pour lui lancer un regard où elle crut lire une tendresse qui la surprit autant qu'elle la bouleversa.

— Quarante-trente! annonça Cyrille, du haut de sa chaise d'arbitre.

La balle de Sophie était tombée juste, exactement sur la ligne de fond. Prise à revers par ce coup imparable, Cécile avait reculé en vain.

— Beau travail! cria Fabrice à Sophie, très fair-play.

La jeune fille et Thibaut faisaient équipe contre

lui et Cécile. Salomé, adossée au grillage du court, près de Cyrille, observait la partie en encourageant tour à tour les deux camps.

Fabrice ramassa la balle et l'envoya avec force sur l'angle du carré de service. Thibaut, intervenu une fraction de seconde trop tard, la laissa rebondir hors des lignes.

— Égalité! proclama Cyrille, qui semblait prendre son rôle d'arbitre très au sérieux.

Un large sourire détendit le visage de Fabrice. Dans cet affrontement voilé qui l'opposait à Sophie, il assenait sans cesse les balles les plus difficiles à rattraper, montant constamment au filet pour attaquer ses adversaires à la volée, animé par la rage de gagner.

Son revers eut pour effet de lui donner l'avantage qui lui permit, une minute plus tard, au terme d'un long échange de balles avec Sophie, de remporter le jeu.

— Je n'aurais jamais dû vous entraîner dans une aventure pareille! murmura Thibaut à la jeune fille. S'il me prend mon service, c'en est fait de nous.

Ce qui ne manqua pas de se produire, en dépit de leurs efforts.

— Jeu, set et match : Fabrice et Cécile! conclut Cyrille.

S'amusant à tout faire dans les règles, les quatre protagonistes allèrent se saluer de part et d'autre du filet. Quand Fabrice s'avança pour saisir la main de Sophie, il s'arrêta net, suspendant son geste. Cependant, il se reprit très vite, et ce fut d'un ton neutre qu'il lui dit :

— Vous êtes redoutable...

Il lui sourit, avec cette expression de sympathie

et d'estime qu'il avait eue, la première fois qu'ils s'étaient rencontrés. Son torse puissant était moulé par la chemise, sa haute stature dominait d'une tête celle de Thibaut, et soudain la jeune fille se sentit fragile face à cet homme énergique et sûr de vaincre. Elle baissa les yeux pour cacher son trouble, et elle s'éloigna de lui pour aller retrouver Cyrille.

— La partie vous a donné des couleurs, remarqua ingénument celui-ci. Vos joues sont toutes rouges...

Fabrice s'approcha à son tour et, sans qu'elle ait pu le prévoir, il posa la main sur son bras nu. A ce contact, elle tressaillit.

Pour regagner le château, le petit groupe emprunta un chemin qui traversait une prairie en pente où une multitude de pommiers en fleur déployaient leurs couleurs éclatantes à la lumière du jour. Au loin, on distinguait le moteur d'un tracteur. Sophie, qui marchait aux côtés de Cyrille, s'arrêta brusquement.

Comment n'y avait-elle pas pensé plus tôt? Elle se souvenait de l'étrange attitude de Fabrice, dans la voiture, quand on avait parlé de Luc-Alban. D'où venait cette aigreur? « Si j'étais optimiste, songea-t-elle, je croirais qu'il a ressenti du dépit de me voir en compagnie de cet homme. Mais ce serait trop beau... Il y a peut-être autre chose : le fait que Luc-Alban ait voulu épouser Salomé, autrefois... » Elle profita de ce que Cyrille avait fait halte, lui aussi, pour lui demander, sans être entendue des autres :

— Ma question va peut-être vous surprendre, Cyrille, mais connaissez-vous l'opinion de Fabrice sur Luc-Alban?

— Eh bien, je ne sais pas au juste... J'avais toujours pensé que Fabrice le méprisait, mais, tout à l'heure, vous vous rappelez, il a pris sa défense d'une manière si vive et en même temps si ironique...

— Tout de même, objecta la jeune fille, s'il le méprisait, il ne l'inviterait pas chez lui.

— Ce n'est pas si simple. Luc-Alban est un personnage assez... ridicule, disons le mot.

— Je le crois désarmé, au fond.

— Justement, fit Cyrille. Il ne rêve que réceptions, palais, noblesse, et il est littéralement en admiration devant Fabrice, qui a tout ce qu'il n'a pas et surtout, qui est tout ce qu'il n'est pas... En fait il inspire plutôt de la pitié à Fabrice, qui est la générosité même. C'est pourquoi Fabrice l'a en quelque sorte pris sous sa protection.

— Et les fiançailles qu'il y a eu entre Luc-Alban et Salomé?

— Le moins qu'on puisse dire, c'est que Fabrice n'a pas apprécié la chose, à l'époque. Moi non plus, d'ailleurs.

Assise à sa coiffeuse, dans la petite chambre verte qu'on lui avait attribuée, Sophie se brossait les cheveux avec énergie. Le miroir lui renvoyait l'image de ses cheveux d'un blond soyeux. Elle considéra ses yeux bleus ombrés de longs cils, son ovale parfait, son nez fin, et, curieusement, ne se trouva pas jolie. «Je fais trop jeune», songea-t-elle sans se rendre compte que cela faisait partie de son charme. «Bon. Assez de futilités. Je vais faire attendre Thibaut.»

Elle passa un chandail sur le chemisier à carreaux qu'elle avait enfilé après la partie de tennis et dont les rayures bleues rappelaient la couleur de sa jupe de jean.

Elle descendit l'escalier de pierre qui aboutissait au grand hall, et là, comme convenu, elle trouva Thibaut, qui leva les yeux vers elle en souriant.

— Où sont les autres? interrogea-t-elle.

— Du côté du pigeonnier, là-bas, à gauche du grand cèdre. Nous les rejoindrons quand vous voudrez, mais, auparavant, j'aimerais que nous parlions un peu.

Elle le suivit au bas du perron.

— Que diriez-vous d'un détour par la fontaine? proposa-t-il.

Elle acquiesça, tout en se demandant pourquoi il souhaitait cet aparté. Il lui aurait été difficile de refuser; et puis, le jeune homme lui était sympathique.

— Vous ne connaissez pas les Albert-Lassalle depuis longtemps, je crois? demanda-t-il alors qu'ils longeaient la façade du château.

— Non, à peine un mois.

— Je suis très heureux de votre arrivée dans ce petit cercle d'amis. En fait, autant vous l'avouer, quand Salomé et Cyrille m'ont parlé de vous, la semaine dernière, en venant ici, j'ai été très intrigué.

— Pourquoi?

— Parce que tous deux ne tarissaient pas d'éloges sur votre compte. Ils ont ajouté que Fabrice ne jurait plus que par vous... Aussi ai-je eu hâte de rencontrer cette mystérieuse personne qui avait su faire l'unanimité!

Il avait cet air de gentillesse malicieuse que Sophie avait notée plusieurs fois. Néanmoins, ce

128

qui retint son attention, ce fut sa remarque à propos de Fabrice. Mais comment savoir s'il disait vrai? Elle connaissait assez Cyrille et Salomé pour les deviner capables d'un pieux mensonge, dicté par le désir d'embellir la réalité. Ou peut-être était-ce une invention de Thibaut, à seule fin de lui faire plaisir? Pour la première fois, elle maudit ce climat de courtoisie générale, cette répugnance à dire du mal d'autrui. Si c'était là cette « hypocrisie des gens du monde » dont lui avait un jour parlé Colette, elle préférait, quant à elle, la vérité sans fard.

La déesse de pierre qui surplombait la fontaine lui parut avoir quelque chose de désespéré, tout à coup.

Thibaut avait repris la parole :

— J'avais un peu peur d'être déçu en vous voyant. Mais j'ai été plus que rassuré. Bien plus que cela, Sophie...

Il s'était tourné vers elle avec un bref coup d'œil.

— Bien sûr, poursuivit-il avec une mélancolie inattendue, je ne suis sans doute pas le premier à vous dire cela. Je n'ai pas le bénéfice de l'originalité...

Malgré elle, ces paroles la touchèrent :

— Mais vous le dites si bien... répondit-elle avec tact.

— Vous êtes merveilleuse... Vous savez d'un mot m'épargner de sombrer dans le ridicule... Car je serais ridicule, n'est-ce pas, si je vous avouais que je vous aime, Sophie?

— Non, Thibaut. L'amour n'est jamais ridicule. Il est tout au plus... amer.

— Comment pouvez-vous prétendre une chose pareille, vous, Sophie?

— Par expérience personnelle, dit-elle.

— Je vois... Ce n'est donc pas le moment que je vienne vous importuner avec mes sentiments. Je devine ce qu'il y a de blessant à entendre la déclaration d'amour de quelqu'un que l'on n'aime pas, quand on est soi-même amoureux de quelqu'un d'autre.

A présent, ils se tenaient face à face. Sophie lut dans les yeux sombres de Thibaut une détresse qui lui fit d'autant plus mal qu'elle y reconnut son propre désarroi à l'égard de Fabrice. Autant l'aveu de Luc-Alban ne lui avait inspiré qu'une pitié vaguement ironique, autant la tristesse de Thibaut la touchait en profondeur. Parce qu'elle savait trop bien ce qu'il ressentait, elle aurait voulu à tout prix éviter de le meurtrir.

— Thibaut, je voudrais que vous sachiez...

— Non, ne me dites rien. Le silence est préférable. Je souhaite seulement que vous obteniez le plus vite possible ce que vous cherchez, et que celui que vous aimez, quel qu'il soit, réponde à vos sentiments.

Dans un geste spontané, elle lui tendit la main. Il s'en saisit et la porta à ses lèvres pour en effleurer la paume, d'un baiser à peine esquissé.

— Vous êtes le meilleur de mes amis, Thibaut... le plus tendre, le plus généreux.

Il se força à sourire :

— Oui, dit-il, je voudrais qu'au moins l'amitié puisse nous réunir.

— Comment pouvez-vous en douter? fit-elle simplement.

Le lendemain, le petit groupe se retrouva à couvert de l'immense cèdre qui dominait la prairie, face au château. C'est en fin de matinée que Cécile et son frère avaient décidé d'improviser ce déjeuner sur l'herbe, le temps étant particulièrement ensoleillé.

Tous avaient tenu à coopérer : Cécile en préparant un repas froid, Thibaut en se chargeant de la vaisselle, Cyrille en s'occupant du dessert, Salomé en transportant la nappe et les serviettes, Fabrice en apportant les boissons et Sophie en allant chercher les verres et les tasses à la cuisine.

A présent la jeune fille contemplait leur œuvre commune, au milieu de l'allégresse générale. Des pyramides de fruits multicolores trônaient au centre de la nappe blanche, séparées par des piles d'assiettes, des paniers de victuailles et des bouteilles de vin rosé. L'ensemble avait un air impromptu et décontracté qui détourna un instant Sophie de ses préoccupations.

A la fin du déjeuner, alors que Cécile servait le café avec un thermos et que Sophie et Salomé distribuaient les tasses, Cyrille remarqua :

— Je ne sais pas pourquoi, ce pique-nique me fait penser à un roman de cette bonne Mme de Ségur.

— Pourtant, nous n'avons plus l'âge de ses héros, soupira Salomé. Quand je pense que j'ai trente-deux ans!

— Qu'est-ce que je devrais dire! plaisanta Fabrice. C'est moi le plus âgé...

— Et c'est Sophie la benjamine, ajouta Thibaut en lançant à la jeune fille un regard plein de tendresse.

— Mais qu'avez-vous tous à parler de votre âge? protesta celle-ci en riant. C'est la vieillesse de ce cèdre qui vous inspire?

— Non, répondit Fabrice avec plus de sérieux, Cyrille a raison : ce déjeuner sur l'herbe a comme un parfum d'autrefois.

Salomé saisit la balle au bond :

— Eh bien, si nous en profitions pour renouer avec une vieille tradition? Tu te souviens, Cyrille, quand nous faisions des portraits chinois en venant sous cet arbre?

— C'est le jeu où on décrit une personne en répondant à des questions qui commencent par « si c'était... »? demanda Sophie.

— Oui, dit Cyrille, mais nous avons instauré un règlement à nous. Une seule personne répond aux questions et les autres essaient de deviner.

— C'est très dur quand Fabrice mène le jeu, ajouta Salomé. D'abord, il choisit les personnages les plus difficiles à trouver. La dernière fois qu'on a joué, il s'agissait d'un obscur cardinal espagnol d'il y a cinq siècles, que personne ne connaissait... Et puis, il donne les réponses les plus ambiguës, n'est-ce pas, Fabrice, avoue?

Tous deux échangèrent un coup d'œil amusé, que Sophie feignit de n'avoir pas vu.

— Bon, fit Cécile, puisque tout le monde est d'accord, procédons au tirage au sort. Thibaut, tu as une boîte d'allumettes?

Le hasard désigna Fabrice pour penser à un personnage et répondre aux questions de ses amis sur celui-ci. Il réfléchit longuement, les yeux baissés. L'ombre du grand cèdre donnait à son visage une auréole de mystère qui le rendait encore plus attirant. Sophie détourna la tête. Elle aurait voulu que rien ne vienne ternir la joie de ce moment.

— Voilà, j'ai fait mon choix, dit-il enfin. Tout ce que je veux bien vous indiquer, au préalable, c'est qu'il s'agit d'une personne réelle, et non d'un héros de roman.

— C'est maigre, comme précision, observa Cyrille. Bien. Je commence : si c'était une couleur?

— Ce serait le bleu, la couleur du rêve, dit Fabrice.

— Si c'était une fleur? demanda Sophie.

— Ce serait l'orchidée sauvage.

— Belle, mais inquiétante, commenta Salomé. Je pressens que tu penses à une femme... Et si c'était un animal?

— Un chat siamois.

— Décidément, Salomé a raison, fit Thibaut. Cette femme réunit la grâce et l'énigme. Et si c'était un oiseau?

— Le cygne.

— Pureté et froideur... observa Cécile. Et si c'était une héroïne de conte de fées?

— La reine des neiges.

Fabrice laissa s'écouler quelques instants avant de reprendre :

— Eh bien, vous ne trouvez pas? C'est pourtant limpide, il me semble.

D'autres questions suivirent, posées à tour de rôle par chacun des joueurs, au terme desquelles il apparut que l'intuition de Salomé était bonne. Il s'agissait bien d'une femme, et, telle que Fabrice l'imaginait, elle possédait la séduction de la poésie et du mystère.

Un à un, les joueurs abandonnèrent la partie. Une fois de plus, Fabrice s'était montré trop fort pour eux.

Dès le départ, Sophie avait eu une vague prémonition, mais elle avait dû abandonner celle-ci presque aussitôt. Le bleu évoquait la couleur de ses yeux et l'orchidée était l'une de ses fleurs préférées. Mais ce que symbolisaient les réponses de Fabrice ne correspondaient pas à son caractère à elle : cette froideur, cette beauté inquiétante... Du reste, pourquoi aurait-il fait son portrait de cette manière détournée, lui qui s'intéressait si peu à elle? Il devait avoir choisi quelque princesse fascinante et peu connue.

Dès leur retour au château, comme Thibaut proposait une promenade du côté du verger en fleurs, Fabrice s'approcha de Sophie et lui glissa à l'oreille :

— J'aimerais vous parler en particulier.

Ce n'était pas une prière, mais un ordre. Intrigué, elle l'accompagna dans un couloir attenant au salon, tandis que Salomé et les autres se dirigeaient vers le parc.

Le couloir débouchait sur la façade nord, à l'opposé du verger. Une allée de gravier menait à un sous-bois.

Ce ne fut que lorsqu'ils parvinrent à l'orée des arbres que Fabrice rompit le silence :

— En somme, fit-il à brûle-pourpoint, vous n'avez pas trouvé la solution, vous non plus?

Elle eut un geste de dénégation. Elle aurait voulu lui dire : « Quelle importance? Ce n'était qu'un jeu. » Mais les mots ne venaient pas.

Fabrice avait fait halte au milieu du sentier. Une lueur indéfinissable passa dans ses yeux bleu-gris. Déception? Ironie? Difficile à dire.

Sophie sentait qu'il lui fallait absolument prononcer une phrase, n'importe laquelle, pour échapper à la fascination qu'exerçait sur elle cet homme impénétrable.

Timidement, elle risqua :

— Cette femme, c'était Salomé?

— Vous plaisantez? Salomé, c'est la beauté, le charme, mais pas de cette manière-là.

— Alors, puisque vous tenez à ce que je sache et que je ne trouve pas, donnez-moi la réponse et finissons-en!

L'amertume de sa propre voix la surprit elle-même.

— Fort bien, répliqua Fabrice. Cette femme, c'était vous. Évidemment, j'ai été naïf de m'imaginer que vous comprendriez à demi-mot!

La colère l'avait envahi. La jeune fille ne savait que penser. Non, elle n'avait pas compris. Non, elle ne voyait pas ce qu'il sous-entendait. A quoi bon ce jeu cruel avec elle? Espérait-il la séduire puis la délaisser, une fois de plus?

— Je dois être bien sotte, dit-elle avec le plus de froideur qu'elle put, mais vos allusions sont trop subtiles pour moi. Les autres nous attendent. Allons les rejoindre, voulez-vous.

Sans qu'elle ait pu prévenir ce geste, il la saisit par les épaules. Elle tenta de se dégager, mais il la serrait dans une étreinte irrésistible. Brusquement, ses lèvres cherchèrent celles de Sophie avec avidité.

Il la repoussa avec autant de brutalité qu'il l'avait attirée contre lui. Sophie, encore bouleversée par ce baiser rageur et impérieux, détourna la tête. Il ne fallait pas qu'il voie qu'elle pleurait.

Il fit volte-face et repartit en direction du château.

— Tu devrais obliquer par la première à droite, conseilla Cyrille, qui, installé à l'avant de la voiture de Salomé, avait déployé une carte des environs.

Assise derrière lui, Sophie gardait les yeux fixés vers la vitre. Peu lui importaient ces vallons et ces bois noyés dans le soir, mais il était au-dessus de ses forces de regarder Fabrice.

Il s'était moqué d'elle : elle aurait dû s'y attendre. Il aimait Salomé, mais il s'était accordé une distraction avec elle. Pourquoi pas ?

Soudain, une idée lui traversa l'esprit. Dans tout ce qu'elle avait appris sur Fabrice et sur son entourage, quelque chose n'allait pas. Elle ignorait ce que c'était, mais, en cet instant, elle eut la certitude que la solution se trouvait ici, entre les trois personnes qui étaient dans cette voiture.

TROISIEME PARTIE

LE TOURBILLON DES PASSIONS

CHAPITRE X

Bérengère Albert-Lassalle remplit la tasse de porcelaine bleu profond.

— Prendrez-vous du citron avec votre thé?

— Je vous remercie, non. Je ne mets rien dans mon thé. Pas même de sucre, répondit Sophie.

— Comme les vrais amateurs, approuva la vieille dame. Moi aussi, je suis comme vous.

Sophie avait été conviée par Bérengère Albert-Lassalle dans le petit salon où elle recevait les rares intimes autorisés à pénétrer dans la suite qu'elle occupait à l'hôtel Queen Victoria. Un camaïeu de roses dominait la pièce : rose orangé d'un grand paravent japonais, rose passé de fauteuils Régence et rose plus vif de fresques à motifs floraux. Deux tables chinoises en laque noire ajoutaient une note de rigueur à l'atmosphère délicatement surannée de ce salon. Tout, ici, était à l'image de sa propriétaire, depuis la douceur des couleurs jusqu'aux bibelots les plus imprévus, et une fantaisie baroque semblait avoir présidé au choix du mobilier et de la décoration.

Mme Albert-Lassalle demanda à Sophie d'un air malicieux :

— Vous ne vous êtes pas perdue en venant ici?

— Non, mais j'ai bien failli! C'est vous qui avez eu l'idée de faire construire ce labyrinthe?

— Il est amusant, n'est-ce pas? En fait, il existait déjà, mais je l'ai amélioré. J'ai ajouté une foule de personnages en cire; tout le monde s'y trompe, la première fois, on les prend pour des visiteurs!

— Comme au musée Grévin, s'exclama la jeune fille.

— Exactement. C'est mon musée préféré, enfin, c'était, car depuis que j'ai le Queen Victoria, je n'ai plus besoin d'y aller.

Elle poursuivit :

— J'ai fait mettre un grand nombre de miroirs, et puis j'ai fait peindre les murs en trompe-l'œil...

Sophie la coupa :

— Et les portes également.

La vieille dame s'esclaffa :

— Je parie que vous êtes tombée dans le panneau, c'est le cas de le dire! Vous avez sonné à la porte de Fabrice en pensant appeler l'ascenseur. Je me trompe?

— Non, répondit Sophie en réprimant un frisson. Je ne dois pas être la seule. Il n'en n'a pas assez d'être tout le temps dérangé?

— Comme vous le connaissez mal! Il adore voir la tête ébahie de ceux qui se sont laissé prendre au piège. Il a beau être sérieux — grave, même, lorsque la situation l'exige —, Fabrice possède le goût du jeu. Il a su préserver le petit garçon qui s'émerveille d'un rien, en lui.

La vieille dame était tout attendrie en parlant de son petit-fils.

— En cela, il vous ressemble, et vous devez être fière de lui, affirma Sophie.

140

— Oui, vous avez raison. Ce goût du jeu nous rassemble... et nous écarte des autres. Des grandes personnes, fit-elle après un silence. Vous voyez, nous avons voulu habiter un endroit qui soit fait à notre mesure. C'est pourquoi nous avons acheté, puis aménagé le Queen Victoria ainsi. Au fond, c'est un palais du rêve, et nous sommes tous les deux de grands rêveurs, conclut-elle avec un petit soupir.

— Vous paraissez le déplorer, fit remarquer Sophie.

— En un sens, oui. On a tort de rêver : un jour ou l'autre, on tombe victime de personnes ayant les pieds sur terre. Mais Fabrice et moi, nous avons beau être conscients de cela, nous ne pouvons pas nous empêcher de vivre ainsi.

Le regard de Bérengère Albert-Lassalle s'était voilé de tristesse. Sophie préféra ne pas se montrer indiscrète en l'interrogeant sur la cause de sa subite anxiété. L'autre poursuivit :

— Je suis inquiète, ma petite Sophie. A propos de cet hôtel, précisément.

La jeune fille se rappela que Fabrice avait mentionné des problèmes financiers sur lesquels il n'avait pas voulu s'étendre. Elle répondit :

— Votre petit-fils m'en a vaguement parlé, au cours du week-end dernier. Il paraît que les actions du Queen Victoria baissent?

— Une baisse n'est pas un événement très grave, en lui-même. Habituellement, le cours de toutes les actions ne cesse de fluctuer. C'est normal, à la Bourse. Mais en ce qui nous concerne, nous avons de bonnes raisons pour être préoccupés. Depuis un an, les actions de l'hôtel ont perdu le quart de leur valeur. C'est énorme, et ça ne correspond pas à

141

l'expansion de notre affaire, car elle est très bien gérée par Fabrice et Delmont. Quelque chose se trame à la Bourse contre le Queen Victoria. Fabrice soupçonne quelqu'un de répandre de fausses rumeurs pour déconsidérer le palace et inciter tous les actionnaires à vendre leurs parts.

— Mais pour quoi faire?

— Si nous le savions! En ce qui me concerne, je ne vois vraiment pas le bénéfice que l'on pourrait tirer d'une baisse... qui peut nous acculer à la faillite, ajouta-t-elle avec une gravité inaccoutumée.

— J'ai entendu dire qu'il était possible de spéculer sur la baisse des valeurs, dit Sophie en se souvenant de ce que lui avait expliqué l'un de ses oncles, analyste financier.

— C'est l'hypothèse de Fabrice, en tout cas. Il pense qu'une personne — ou un groupe financier — est en train de manœuvrer pour racheter les actions du Queen Victoria à vil prix, afin de les revendre très cher plus tard, lorsque leur cours normal sera rétabli. Ils tablent sur le fait que le Queen Victoria étant une affaire saine, elles retrouveront un jour ou l'autre leur valeur, expliqua la vieille dame en voyant que Sophie n'avait pas saisi toutes les finesses de la haute finance.

— Évidemment, fit la jeune fille, cette opération peut rapporter gros. Mais elle peut être le fait de quelqu'un qui cherche à s'emparer de l'hôtel. Tout un pâté de maisons en plein centre de Paris, quelle fortune immobilière!

Bérengère Albert-Lassalle eut un rire amer :

— Un rêve de banquier, oui. Vous avez raison, ma petite Sophie, ce que vous suggérez n'est pas impensable.

— Vous n'avez aucune idée de l'identité des

personnes qui manœuvrent en ce moment à la Bourse?

— Aucune, répondit la vieille dame. Sophie, j'ai peur de vous ennuyer, fit-elle soudain. Toutes ces histoires sont sordides, et je n'aime pas mêler mes amis à ce qui me tracasse. Parlons d'autre chose, voulez-vous? D'ailleurs, nos inquiétudes sont peut-être sans fondement. Il ne sert à rien de nous torturer en y pensant. Son visage s'anima brusquement, et elle jeta à Sophie :

— Dans quinze jours, nous fêtons mon anniversaire! J'aurai quatre-vingt-trois ans, ajouta-t-elle avec une fierté non déguisée.

Sophie sourit en voyant qu'en Bérengère Albert-Lassalle, la petite fille reprenait le pas sur la vieille dame soucieuse. Elle lui demanda :

— Vous n'avez pas peur d'avouer votre âge?

— Mais j'en suis fière!

— Vous avez raison. Il faut préférer quatre-vingt-trois ans d'intelligence à vingt ans de bêtise...

Le ton de la jeune fille s'était métamorphosé. Bérengère Albert-Lassalle s'inquiéta :

— Vous pensez à vous-même, quand vous parlez de vingt ans de bêtise? Vous êtes folle, Sophie! Je n'ai jamais vu quelqu'un d'aussi vif et d'aussi intelligent que vous.

— Cette indulgence que je ne mérite pas, vous êtes bien la seule à me la montrer, répondit Sophie sombrement, en songeant qu'il était regrettable que Fabrice ne partageât pas l'opinion de sa grand-mère.

— Reprenez confiance en vous, ma petite Sophie! Je vous l'ai déjà dit, je vous ai remarquée tout de suite, et mon instinct ne me trompe jamais. Vous avez de l'étoffe, du caractère...

— Puisque vous le dites, répliqua Sophie.

Mais le regard bleu de la jeune fille signifiait tout autre chose. Il exprimait une lassitude qui émut Bérengère Albert-Lassalle. Elle s'en voulut d'avoir insisté; aussi fit-elle mine de ne pas s'en apercevoir. Elle ramena la conversation sur ce qu'elle projetait :

— Pour en revenir à mon anniversaire, je voulais vous dire que j'organise une fête, à laquelle j'aimerais que vous assistiez.

Sophie n'avait encore jamais été conviée à une soirée dans la haute société; aussi se sentit-elle embarrassée par cette invitation.

Elle remercia timidement, puis elle hasarda :

— Ce ne sera pas trop mondain? Je suis un peu sauvage, et je n'ai pas l'habitude de telles réceptions.

Bérengère Albert-Lassalle éclata de rire en voyant l'air malheureux qu'avait pris la jeune fille :

— Allons donc, Sophie, je vous fais confiance! Vous éclipserez tous les invités en restant naturelle! De toute manière, si vous vous inquiétez de votre tenue, ne vous en faites pas, j'y pourvoirai. Mais je n'en dis pas plus. C'est une surprise!

Les yeux de la vieille dame avaient pris un éclat mutin, à l'idée de jouer à la fée-marraine.

« Une orchidée, un chat siamois, la couleur bleue... » Sophie songeait aux comparaisons de Fabrice. « L'orchidée est une fleur sauvage et belle; la couleur bleue convient au rêve; mais Fabrice a été évasif à propos du chat siamois. »

Sophie se dit que son amie Colette en possédait un, et pourrait lui décrire cet animal mystérieux.

La jeune femme se trouvait dans l'arrière-boutique. Sophie l'aborda vivement, puis, comme une expression soucieuse se lisait sur son visage, elle lui demanda :

— Je te dérange?

Elle déballait effectivement des carrés de soie imprimés qu'elle devait ranger ensuite dans les rayons du magasin.

— Mais je peux t'aider, ajouta Sophie.

Elle se mit à l'ouvrage et bientôt, on n'entendit plus que le bruissement du papier de soie dans la petite pièce.

— Colette, dis-moi, c'est comment, un chat siamois? interrogea brusquement Sophie.

— Tu n'en n'as jamais vu?

. — Si. Mais quel est son caractère?

Colette sourit avec attendrissement : elle revit en pensée. Hécate, sa chatte siamoise. Elle répondit aussitôt :

— C'est le plus affectueux et le plus mignon des petits chats. Il est très fûté et n'arrête pas de faire des bêtises, mais comme il est adorable, on lui pardonne tout après un gros câlin. Après un silence, elle demanda : tu veux t'acheter un chat?

— Non, mais on m'a comparée à un siamois.

— *On* n'a pas tort, fit-elle en insistant sur le « on ». *On* est psychologue. Tu as le charme et la vivacité d'un chat siamois. En plus, tu as ses yeux bleus.

Évidemment, la jeune femme avait deviné l'identité de l'auteur de cette comparaison. Mais, sans le faire exprès, elle avait retourné le couteau dans la plaie de sa jeune amie. Fabrice semblait décidément incapable de réfréner son besoin de plaire et de conquérir toutes les femmes qu'il rencontrait en leur faisant des compliments. Colette s'émut du visage atterré de Sophie :

— On dirait que tout ne marche pas comme tu le voudrais.

Sophie haussa les épaules avec lassitude avant de jeter :

— Qu'est-ce qui te fait penser-ça?

— Tu es souvent triste, en ce moment. Tu sembles au bord des larmes.

Elle regarda la jeune fille et lui saisit le menton. Les yeux de Sophie devinrent plus brillants et ses lèvres se mirent à trembler. Elle prononça avec difficulté, dans un sursaut d'orgueil :

— Je dois te faire pitié.

— Ne dis pas de bêtises... Tout de même, ça m'ennuie de te laisser dans un moment pareil.

— Comment cela?

— J'ai vu récemment un autre gynécologue. Une opération peut tout arranger. C'est le professeur Berthier qui s'en occupe. Une sommité, à ce qu'il paraît.

— Mais, Colette, c'est merveilleux! Quand entres-tu en clinique?

— Comme tu y vas... fit Colette en souriant. En principe, ce serait possible vers la fin du mois. Jean Rousseau m'a accordé un congé. C'est drôle, mais je n'arrive pas encore à y croire... Et puis, j'ai un peu peur : si l'opération échouait? Ce serait pire qu'avant.

— Allons, pas de défaitisme! Je suis sûre que tout se passera bien.

— En tout cas, dit Colette, je te préviendrai tout de suite... Mais nous n'en sommes pas encore là!. En attendant, je voudrais tellement te voir plus gaie...

Le barman de l'Ermitage salua courtoisement Salomé et Sophie, non sans lancer un clin d'œil à cette dernière. Une manière de l'admettre parmi les habitués.

Elles prirent place dans un coin du bar et commandèrent chacune un porto. Salomé était passée quelques minutes plus tôt chercher Sophie au magasin, et la jeune fille n'avait pas eu le cœur de refuser à sa nouvelle amie de prendre un verre. En dépit de ce qui les séparait toutes les deux, elle se sentait attirée par l'Orientale. Elle se consolait en songeant que Salomé était la rivale la moins mauvaise qu'on pût souhaiter : sympathique, chaleureuse et simple, malgré une fortune la plaçant au faîte de la hiérarchie sociale.

— Tu as changé depuis que j'ai fait ta connaissance, fit brusquement la jeune femme.

— Tu ne me vois plus de la même façon. Je t'assure que je suis toujours la même, rétorqua Sophie.

Le regard lourd de Salomé effleura la silhouette de la jeune fille et s'attarda sur les yeux pervenche. Sophie battit des paupières, mais elle soutint l'intensité de ce regard qui la sondait jusqu'à l'âme. Il émanait quelque chose d'indéfinissable de la jeune femme, quelque chose qui n'avait pas besoin de paroles pour s'exprimer, et qui se sentait dans toute sa force lorsque Salomé dardait sur Sophie ses prunelles sombres.

Elle poursuivit, de sa voix basse, un peu cassée, en traînant langoureusement sur les syllabes :

— Je t'assure que tu as changé, Sophie. Tu es devenue plus féminine.

Sophie but une gorgée de porto, puis reposa son verre sur le guéridon, avant d'avouer en rougissant :

— Je m'habille plus, et il m'arrive de me maquiller.

— Je l'ai remarqué, mais c'est encore autre chose. Tes gestes, tes paroles, tes expressions, tout a changé en toi. Quand je t'ai vue pour la première fois, tu m'as fait penser à un jeune chien qui a de l'énergie à dépenser. Et maintenant, on dirait que toutes ces forces, tu les a concentrées à l'intérieur de toi-même.

— A quoi tu vois ça?

— C'est difficile à dire. Tu rayonnes, tu es plus présente. Tu ne le sens pas? demanda Salomé.

— Je comprends ce que tu veux dire, mais je suis mal placée pour en juger!

Sophie pensa avec mélancolie que Fabrice n'avait sûrement pas observé ce changement, relevé avec tant de finesse par Salomé. Ne l'avait-il pas comparée à un chat siamois, ce petit animal dont la spontanéité constituait le plus grand attrait?

Elle regarda attentivement la jeune femme. « Elle est insaisissable, se dit-elle. Voilà pourquoi Fabrice la préfère. A côté d'elle, je suis une petite fille toute simple. »

Salomé interrompit le cours des pensées de Sophie.

— Je voudrais me confier à toi, fit-elle avec un sourire énigmatique. Je suis amoureuse.

Sophie avait l'habitude des ruptures de ton de son amie. Elle regarda néanmoins la jeune femme, interloquée.

— Je t'étonne? demanda celle-ci avec douceur.

« Elle se moque de moi, ou bien elle ne soupçonne rien », pensa Sophie.

Salomé renversa la tête sur le dossier de son fauteuil, puis elle murmura :

— Je suis amoureuse d'un homme qui trouve commode de ne pas s'en apercevoir.

Sophie ne comprenait plus rien. « Fabrice et Salomé ont dû se brouiller, conclut-elle, mais je suis mal placée pour les réconcilier. » L'amertume l'empêcha de consoler sa compagne, et un silence gênant s'empara d'elles.

— Et si nous allions dîner au Queen Victoria? proposa soudain Salomé.

Elles sortirent du restaurant pour se rendre au jardin. Des tables avaient été disséminées un peu partout, parmi des bosquets de laurier et d'orangers. Sophie s'aperçut, lorsqu'elle se fut habituée à la lumière douce, qu'il y avait là une foule de gens. Des clients de l'hôtel et des amis des Albert-Lassalle devisaient par petits groupes dans une atmosphère chaleureuse. Sophie vit Fabrice de loin et le salua d'un air qu'elle voulut aussi dégagé que possible.

Il les rejoignit aussitôt.

— Quelle surprise agréable, fit-il de sa belle voix grave.

Faisait-il exprès de torturer la jeune fille avec sa politesse impersonnelle? Elle décida de répliquer sur le même ton et le complimenta :

— C'est charmant, on dirait une réception improvisée, dit-elle en désignant du geste le jardin.

Fabrice sourit et Salomé répondit à sa place :

— Mais c'est chaque soir ainsi. Tu comprends, maintenant, pourquoi le Queen Victoria est si apprécié de ses clients? Elle jeta alors un coup d'œil de côté et s'écria : Oh! voici quelqu'un qui désire te voir.

Sophie suivit la direction de son regard, et distingua la silhouette de Luc-Alban du Verger.

— Viens, Fabrice, souffla Salomé. Cyrille va arriver. Tu m'excuses, Sophie, ajouta-t-elle, prise de remords.

Sophie les observa s'éloigner, le cœur brisé. Fabrice tenait sa compagne par la taille, et tout le monde se retournait sur le couple. « Ils sont si bien assortis », pensa-t-elle, la gorge serrée.

Luc-Alban arriva près d'elle. Il avait revêtu une queue-de-pie qui lui donnait l'allure d'un pingouin.

Sophie lui fit remarquer avec une ironie mordante :

— Vous êtes bien élégant, ce soir!

Elle s'en voulut aussitôt de s'acharner sur un homme dont le seul tort consistait à ne pas être Fabrice.

Mais le directeur de la galerie n'avait pas compris. Il se rengorgea :

— Oh, je m'habille toujours un peu pour dîner, fit-il en rajustant son monocle.

« Je n'ose pas imaginer ce qu'il mettrait pour se rendre à une grande soirée », se dit-elle, égayée, malgré tout, par les notions d'élégance de Luc-Alban du Verger.

— Sophie, fit ce dernier, je suis ravi de vous voir, parce que je désire vous inviter le week-end prochain. Je possède une villa à Saint-Jean-Cap-Ferrat. Il fera beau, et nous pourrons nous baigner. Alors, c'est oui?

« On m'offrirait un empire, que je ne passerais pas un week-end en tête à tête avec cet homme », songea-t-elle. Après un silence gêné, elle commença :

— C'est très gentil de votre part...

Il la coupa :

— Sophie, avant que vous n'inventiez une excuse pour échapper à un tête-à-tête avec moi, je vous rassure tout de suite.

« Tiens, il a tout de même deviné! » se dit Sophie.

Il poursuivait :

— Le prince Cyrille, Salomé, Fabrice et quelques autres viendront avec nous, je les ai déjà invités.

Accepter, c'était la perspective de revoir Fabrice et de souffrir de l'intimité qu'il ne manquerait pas d'afficher avec Salomé. Refuser, c'était imaginer cette intimité et souffrir encore plus. Après quelques secondes d'hésitation, la jeune fille prit sa décision : elle irait à Saint-Jean-Cap-Ferrat. Pour guérir de son amour pour Fabrice. « Il est temps que je regarde la réalité en face, Fabrice ne m'appartiendra jamais, il va se marier avec Salomé. » Elle se demanda alors si elle trouverait en elle assez de force pour subir une pareille épreuve.

Luc-Alban du Verger se fit suppliant :

— Vous acceptez?

— Avec plaisir, lâcha Sophie avec une expression cachant mal son désespoir.

Non loin d'eux, ils aperçurent Fabrice conversant parmi un groupe d'hommes dont la présence jurait dans ce jardin voué aux délices d'une soirée improvisée. Leurs crânes chauves, leurs lunettes cerclées d'or, leurs complets stricts, et par-dessus tout la gravité de leur visage révélaient des banquiers ou des businessmen en pourparlers.

Luc-Alban du Verger fit remarquer :

— Fabrice aurait-il délaissé Salomé pour ces chevaliers à la triste figure?

Sophie s'était souvenue de ce que Bérengère

Albert-Lassalle lui avait confié au sujet des problèmes du Queen Victoria, et elle avait établi une relation entre la présence de ces hommes et la baisse des actions du palace. Elle demanda au directeur de la galerie :

— Vous n'êtes donc pas au courant?

— Au courant de quoi?

— Le Queen Victoria connaît des difficultés financières : quelqu'un manœuvre en ce moment pour faire baisser le cours des actions. Vous pourriez être de bon conseil à Fabrice, ajouta-t-elle.

Pour toute réponse, Luc-Alban du Verger éclata de rire.

— Pourquoi riez-vous? s'offusqua Sophie.

Il continuait de rire. Lorsqu'il se fut enfin calmé, il dit :

— Chère Sophie, je vous trouve irrésistible, quand vous parlez de la Bourse. C'est si drôle, dans la bouche d'une jeune fille, les mots « action », « baisse des cours ».

Outrée de l'attitude condescendante de Luc-Alban du Verger, Sophie lui tourna le dos et s'éloigna dignement.

Salomé se trouvait seule dans le bar du palace, lorsque la jeune fille la rejoignit. Elle était encore en colère.

— Jamais je n'ai vu quelqu'un d'aussi misogyne!

— Tu parles de Luc-Alban, je suppose? Allons, Sophie, raconte-moi tes malheurs, fit-elle d'un air protecteur.

Salomé paraissait ravie de consoler sa jeune amie et l'expression morose qui se peignait sur ses traits quelques secondes plus tôt, avait totalement disparu.

— Il s'est moqué de moi quand j'ai parlé de la

Bourse, à propos des problèmes que connaît le Queen Victoria! Vraiment, il me prend pour une imbécile. C'est rageant...

Salomé l'interrompit :

— Tu lui as parlé de ça?

— Oui, et je lui ai suggéré d'aider Fabrice...

— Je ne sais pas si tu aurais dû le lui dire. Écoute, Sophie, avertis immédiatement Fabrice de ce que tu viens de faire.

Le sérieux de Salomé alarma Sophie, qui décida d'obéir immédiatement.

Sophie s'avança avec prudence dans l'obscurité de la terrasse. Une lumière laiteuse distillait les ombres sur le sol et rendait plus malaisée encore la vision de la jeune fille, car toute chose paraissait effacée par l'action conjuguée de la nuit et des rayons de la lune.

Soudain, elle s'arrêta, foudroyée.

Elle venait d'apercevoir la silhouette de Fabrice accoudé à la balustrade qui protégeait le dernier étage du Queen Victoria. Il était en train de fumer une cigarette, dont le bout rougeoyait lorsqu'il la portait à ses lèvres. Elle ne voyait de lui que son long corps noir, et dans ces ténèbres bleutées, il émanait de Fabrice plus de mystère que jamais.

Elle n'osa rompre le charme, et fit quelques pas sur la pointe des pieds. L'air était immobile, les bruits de la ville ne parvenaient pas jusqu'à eux.

Elle parvint tout près de Fabrice, le cœur battant. Elle put admirer, alors, son profil aux lignes parfaites, rendu plus pur encore par le rayon de lune le saisissant à contre-jour pour le friser avec délicatesse. Le regard de Sophie s'attarda sur l'arête du nez et sur les lèvres finement dessinées, avant de se fixer sur le grand front barré, en ce moment, d'une ride de souci. Tout d'un coup, il perçut une présence étrangère et il se retourna vers Sophie.

— Alors, on m'espionne?

Il paraissait irrité.

— Mais, ... mais, je vous cherchais parce... balbutia Sophie, interdite.

Elle ne put achever. Elle sentit venir des larmes à ses yeux.

L'obscurité l'empêchant de remarquer l'émotion de la jeune fille, il la coupa avec dureté :

— Je n'ai que faire de vos excuses. J'ai besoin d'être seul. Ne m'importunez pas.

Sophie resta murée dans son silence. Sans le savoir, Fabrice lui avait porté un coup fatal, et il n'avait pas entendu le sanglot qu'elle venait d'étouffer. Il se redressa avec raideur et, d'une pichenette, il jeta le mégot de sa cigarette par-dessus la balustarde. Ils observèrent sans mot dire la trajectoire du petit point rouge dans l'obscurité bleutée, loin au-dessous d'eux. Quand il eut disparu, Fabrice attrapa brutalement Sophie par la taille et la serra de toutes ses forces contre lui.

Elle n'eut pas le temps de crier : deux lèvres s'écrasèrent sur les siennes, en un violent baiser.

Une toux se fit entendre. Ils interrompirent aussitôt leur étreinte et se séparèrent, avant de regarder du côté où se tenait celui qui les avait surpris. C'était Luc-Alban du Verger.

Fabrice marmonna des paroles que Sophie ne put comprendre, puis il s'éloigna à grands pas. Elle s'accrocha à la balustrade : tout s'était produit si vite qu'elle n'avait pas eu le temps de réaliser ce

154

qui lui était arrivé. Elle passa une main tremblante sur sa bouche.

En moins d'une seconde, le directeur de la galerie fut à ses côtés :

— Sophie, Sophie! Vous vous sentez mal? s'écria-t-il.

Les oreilles de la jeune fille bourdonnaient, et sa vue commençait à se brouiller.

— Je... J'ai mal...

Elle désigna son cœur.

— Venez avec moi, je vais vous aider, fit-il en la prenant par les épaules.

Elle se laissa faire comme un automate et le suivit. La torpeur de la jeune fille se prolongeant, Luc-Alban du Verger se rapprocha d'elle. Comme elle ne réagissait pas, il la prit alors par la taille : Sophie ne broncha pas.

Ils arrivèrent en haut des marches de l'escalier conduisant à l'intérieur de l'hôtel comme un couple d'amoureux étroitement enlacés.

Luc-Alban s'arrêta et, la tenant contre lui, il lui caressa les cheveux.

Ce faisant, il lui souffla à l'oreille :

— Sophie, je vous aime.

Elle réagit enfin, comme si elle avait reçu une décharge électrique.

— Lâchez-moi, s'écria-t-elle en se dégageant.

— Mais, Sophie... bredouilla Luc-Alban sans comprendre ce brusque changement d'attitude.

Elle le repoussa d'un geste violent et laissa tomber avec une moue de dégoût :

— Vous vouliez abuser de la situation. Vous me répugnez!

Ces paroles firent l'effet d'une gifle à Luc-Alban, qui rétorqua :

— Que de manières, Sophie, pour une fille qui se livre au premier venu!

— Je vous hais! cria-t-elle au désespoir.

Ainsi, il avait vu Fabrice l'embrasser... Elle poursuivit :

— Vous ne pouvez pas comprendre, vous ne serez jamais comme lui.

La voix de Sophie se brisa, et elle éclata en sanglots.

— Sophie, reprenez-vous, fit Luc-Alban, soudain radouci.

Elle s'était caché le visage dans les mains. Ne sachant quelle contenance adopter, il essaya de la calmer :

— Pardonnez-moi, Sophie. Je ne pense pas un mot de ce que j'ai dit. Il ajouta après un silence : si cela peut vous consoler, dites-vous que je souffre autant que vous.

Une telle sincérité toucha la jeune fille, qui marmonna enfin :

— Je ne voulais pas vous blesser. Tout à l'heure, j'étais dans un état second, et j'ai cru que vous vouliez en profiter. Alors j'ai réagi un peu violemment.

— Vous vous êtes méprise sur mon compte, répondit Luc-Alban du Verger. Je sais bien que je ne serai jamais comme lui, fit-il avec amertume, mais, tout de même. je ne suis pas un mufle.

Sophie s'était reprise petit à petit.

— Pardonnez-moi ce triste spectacle, dit-elle en passant un mouchoir sur ses joues mouillées de larmes.

— Sophie, vous savez bien que je vous pardonnerais tout!

Luc-Alban venait de la voir dans les bras de

Fabrice, et il l'aimait encore. Sa passion était si forte qu'elle pouvait résister aux pires trahisons.

Sophie s'en voulut d'avoir rendu cet homme malheureux; aussi décida-t-elle de mettre les choses au clair avec lui.

— Luc-Alban, je ne veux pas être une cause de souffrance pour vous, dit-elle après une hésitation.

— J'ai compris, Sophie, souffla-t-il. Vous ne m'aimez pas.

Il avait vu en elle et, avec la clairvoyance des amoureux éconduits, il enchaîna :

— Vous êtes amoureuse de lui, n'est-ce pas?

Elle baissa les yeux et préféra se taire.

— Vous ne me dites rien, mais je le vois bien, reprit-il. Puisque c'est ainsi, je m'efface. Mais, Sophie, je vous en supplie, accordez-moi au moins une chose. Je désire que nous restions bons amis. Je crois que je ne supporterais pas de ne plus vous revoir... Il me semble que l'amour que je vous porte se guérira mieux ainsi.

Luc-Alban du Verger n'était pas, en ce moment, le ridicule personnage au monocle serti de diamants. Ce n'était plus qu'un être humain en proie à la douleur, et il fit pitié à Sophie.

— J'agirai comme vous le désirez, répondit-elle doucement.

Cela signifiait, en premier lieu, accepter son invitation à Saint-Jean-Cap-Ferrat. Et revoir Fabrice.

CHAPITRE XI

IL était onze heures du matin lorsque Sophie se réveilla. Elle ouvrit les volets : le temps était magnifique, et une brise tiède soufflait dans les palmiers entourant la villa. Elle vit la mer, au loin, et ce fut comme un appel irrésistible à sortir et à se baigner.

Elle tendit l'oreille : aucun bruit ne lui signala que les autres étaient levés. Il est vrai qu'ils s'étaient tous couchés très tard, la veille. Elle décida d'aller à la piscine avant le petit déjeuner, et enfila rapidement un minuscule deux-pièces.

En passant devant le miroir de sa chambre, elle fit une grimace. « Comme je suis pâle! songea-t-elle, il va falloir que je prenne quelques bains de soleil pour arranger ça. » En réalité, la blancheur de sa peau, une blancheur naturelle aux blondes, loin de déparer son corps svelte aux formes parfaites, rehaussait la délicatesse de son ossature.

Quelques minutes plus tard, après un rapide plongeon dans l'eau encore fraîche de la piscine, elle se séchait aux rayons du soleil sur un transat. Elle ferma les yeux et se laissa aller à la douceur de l'instant, puis elle se mit à penser aux événements de la veille.

Un peu avant d'arriver à la villa de Luc-Alban du Verger, Salomé lui avait dit :

— Je ne t'ai pas encore décrit la villa de ce cher Luc-Alban, mais elle dépasse tout ce que tu peux imaginer!

— Ça oui, avait renchéri Cyrille en pouffant de rire.

Même Fabrice s'était un instant départi de sa réserve pour ajouter :

— Je ne me lasse pas d'y aller. Elle vaut tous les spectacles, tous les opéras les plus baroques...

Ils avaient éclaté de rire devant la mine étonnée de Sophie, et ils avaient refusé de lui en dire plus.

Plus tard, lorsqu'elle la découvrit, Sophie dut s'avouer que la maison du directeur de la galerie dépassait bien tout ce qu'elle avait pu imaginer, comme l'avait prédit Salomé.

A mi-chemin entre une pâtisserie recouverte de Chantilly et le palais du facteur Cheval, la villa de Luc-Alban du Verger pouvait figurer parmi les grandes réussites de l'ingéniosité humaine. On ne loue jamais assez ces obscurs tâcherons que sont les entrepreneurs en bâtiment. Celui qui avait construit la maison de Saint-Jean-Cap-Ferrat aurait dû recevoir une palme d'or, tant il avait fallu de génie pour faire tenir debout cet étrange assemblage de clochetons, de colonnades et de dômes recouverts de tuiles. Ces dernières étaient destinées à « faire provençal ».

L'intérieur était à l'avenant et le grand salon, surtout, avait retenu l'attention de Sophie. Toute la décoration en était dévolue à la chasse : d'innombrables peaux de fauves tapissaient les murs et le sol, tandis que des bois de cerfs, des défenses d'éléphants, des cornes de zébus et d'antilopes constituaient autant d'embûches à qui avait l'audace de se frayer un chemin dans leur jungle touffue. Le maître de céans n'avait pas voulu faire les choses à moitié, car il n'avait pas oublié, non plus, ni les tam-tams, ni les flèches et les carquois, ni les masques et les objets d'art primitif, ni enfin une panoplie de fusils et de couteaux. Le résultat de tant d'efforts, le directeur de la galerie ne l'avait pas prévu, et il continuait de s'étonner de voir ses visiteurs se réfugier dans l'office alors qu'ils avaient été conviés au salon. C'est que, dans la modeste pièce, ils ne se sentaient pas comme des bibelots en excédent.

Après cette débauche, la mosaïque de marbre et de malachite de la piscine, et surtout sa forme de trèfle à quatre feuilles, parurent à Sophie d'une émouvante simplicité. Évidemment, il était malaisé d'y nager. Au bout de trois brasses, il fallait se glisser dans l'étroit goulot réunissant les quatre feuilles du trèfle. Mais enfin, pouvait-on exiger mieux d'un propriétaire ne jurant que par ce qui était « parisien »?

Malgré son désespoir, Sophie n'avait pu s'empêcher de rire avec les autres de la fierté de Luc-Alban de posséder une pareille villa. « Construite sur mes plans », avait-il conclu. « Pas besoin de le préciser », avait chuchoté Cyrille à l'oreille de la jeune fille.

Tout cela n'avait fait que la distraire, mais au fond, elle n'avait pas cessé un instant de penser à Fabrice. Ce dernier n'avait sans doute pas oublié leur brève étreinte sur la terrasse du Queen Victoria, car il était devenu distant à son égard.

C'était surtout cette dernière attitude qui mettait Sophie à la torture, car elle se disait qu'elle attirerait cet homme secret tout en le repoussant. Et cela, pour une raison devant laquelle elle était impuissante : Fabrice aimait Salomé. Il semblait en vouloir à Sophie de la désirer, et il rejetait sur elle toute la faute de cette infidélité à la femme qu'il allait épouser.

Comment, sinon, expliquer ce baiser qui avait tant troublé Sophie? Et surtout, cette subite froideur? Une hypothèse germa dans l'esprit de la jeune fille : est-ce que Fabrice n'était pas jaloux de Luc-Alban? Dès que ce dernier les avait surpris sur la terrasse, Fabrice s'était éclipsé sans explications. « Pour qu'il soit jaloux, il faudrait qu'il m'aime! » se dit-elle aussitôt. Elle aurait tant préféré que Fabrice voie en Luc-Alban un rival! Mais c'était sans espoir, car, n'aimant pas la jeune fille, il se souciait peu des hommes qui lui faisaient la cour.

Une douleur sourde envahit la poitrine de Sophie et l'empêcha de respirer quelques secondes. Elle se ressaisit et s'efforça de ne plus évoquer l'image qui la hantait, celle de Fabrice et de Salomé marchant enlacés, comme un couple d'amoureux.

Le bruit d'une voiture qui s'arrêtait interrompit ses pensées. « Un visiteur », se dit Sophie. Elle se redressa sur le transat, curieuse de savoir qui pouvait arriver, Luc-Alban ayant prévenu qu'il attendait encore quelques invités.

Elle reconnut bientôt, dans l'allée qui conduisait à la villa, Estelle Albert-Lassalle. « Elle va passer tout près de moi », songea-t-elle avec une légère appréhension, car la belle-mère de Fabrice n'avait pas marqué par son attitude qu'elle avait oublié leur première entrevue. Si Estelle Albert-Lassalle faisait des sourires à Sophie en public, son regard froid démentait la chaleur qu'elle aurait voulu donner à son expression.

Après quelques secondes interminables, Estelle Albert-Lassalle fut enfin tout près de Sophie.

— Bonjour, madame, fit cette dernière dans un effort de bienvenue.

Pour toute réponse, l'autre regarda au-dessus de Sophie et se mit à fixer un nuage imaginaire, sans cesser de marcher.

Sous le large chapeau de paille tressée, la jeune fille eut le temps de distinguer un air glacial et méprisant qui lui parut de mauvais augure.

— On peut entrer?

Sophie tourna les yeux vers la porte de sa chambre. Elle ne reconnaissait pas cette voix féminine : ce n'était ni Salomé ni Estelle. Néanmoins, poussée par la curiosité, elle acquiesça :

— Venez. La porte n'est pas fermée à clef.

Quand la visiteuse fit son entrée, Sophie fut agréablement surprise : c'était Cécile de la Roche-mithois.

— J'aurais dû être là plus tôt, expliqua celle-ci : Luc-Alban m'avait invitée pour hier soir. Mais mon fiancé est arrivé à l'improviste. Alors... Je suis contente de vous voir, Sophie, vraiment... Au fait, pendant que j'y pense, mon frère m'a chargée de vous dire qu'il vous téléphonerait à son retour.

— Où est-il, en ce moment?

— Il est allé rejoindre nos parents en Norvège, pour un voyage de quelques jours.

— Moi aussi, je souhaite revoir Thibaut. Il s'est montré un ami parfait, pour moi.

Pendant qu'elle parlait, Cécile était venue s'asseoir près d'elle, sur le lit. La jeune fille s'efforça de sourire : en effet, à quoi bon attrister Cécile avec ses propres problèmes? Celle-ci reprit :

— Je ne sais pas ce qu'a Thibaut, en ce moment. Je me demande s'il n'a pas un chagrin d'amour. Mais il n'a rien voulu me dire.

— Il n'est pas le seul.

La réplique avait fusé malgré elle.

— Que voulez-vous dire? interrogea Cécile.

— Rien, fit Sophie d'un ton las. Ou plutôt, autant que vous le sachiez... Je ne l'ai jamais dit à personne, mais, maintenant, je n'en peux plus... C'est trop lourd à porter... Cécile, j'aime Fabrice, et il ne m'aime pas. Il est amoureux de Salomé.

Contrairement à toute attente, Cécile éclata de rire.

— Fabrice, amoureux de Salomé? Vous plaisantez, Sophie?

— Vous êtes gentille de vouloir me réconforter, mais...

— Non, la coupa Cécile, je ne cherche pas à vous mentir. Ainsi, vous n'êtes pas au courant?

— Mais au courant de quoi? s'impatienta Sophie.

— De ce que Salomé elle-même appelle « le pieux mensonge »... Il est vrai que j'étais la seule dans la confidence. Mais il vaut mieux que je vous l'apprenne : je ne veux pas vous voir malheureuse pour rien. Salomé est amoureuse...

— Cela, je le sais, elle me l'a avoué elle-même, mais...

— Laissez-moi finir : ce n'est pas Fabrice qu'elle aime, mais Cyrille. Et cela dure depuis dix ans...

Sophie n'était qu'à moitié convaincue :

— Salomé ne m'a pas dit le nom de celui qu'elle aimait, admit-elle. A la rigueur, je veux bien croire qu'il s'agit de Cyrille. Fabrice, lui, ne pense qu'à elle. Il suffit de voir comment il la regarde... Même les journaux en ont fait mention.

— Justement, Sophie, voilà le « pieux mensonge » dont je vous parlais. Tout cela n'est qu'une comédie destinée à Cyrille. Je crois qu'il faut que je vous explique la situation. Depuis dix ans, Salomé aime Cyrille d'un amour sans espoir : il la traite en simple amie, sans se rendre compte de ses sentiments à elle.

— Dans ce cas, pourquoi ne lui a-t-elle rien dit?

— Par peur de sa réponse, rétorqua Cécile. Elle préférait encore cette incertitude à un refus de la part de Cyrille.

— Comme elle a dû souffrir...

— Oui, fit Cécile. Et puis, Salomé étant extrêmement riche alors que la famille de Cyrille est ruinée, elle a pensé que, de toute façon, par crainte qu'elle ne croie qu'il était intéressé, il était capable de la repousser... Bref, c'était sans issue. Et puis, il y a quelques mois, elle est venue me voir. Fabrice était là, lui aussi. Elle nous a confié son désespoir, et elle a ajouté que le temps passait, qu'elle avait trente-deux ans et qu'il n'y avait aucune raison pour que cette situation ne dure encore des années. Elle sanglotait. Fabrice a dit qu'il ferait n'importe quoi pour l'aider. Il adore Salomé, mais pas comme vous le croyez, Sophie : ils sont exactement comme frère et sœur : comme Thibaut et moi, si vous voulez.

— Pourtant, il y a dix ans, ce flirt entre eux...

— Un simple flirt, Sophie, précisément. Très

vite, ils se sont aperçus qu'ils n'étaient pas faits l'un pour l'autre.

— En tout cas, c'est elle qui a rompu, et non Fabrice.

Cécile eut un fin sourire en répliquant :

— C'est ce que tout le monde croit. Mais c'est faux. C'est Fabrice qui a rompu. Seulement, il a répandu le bruit que c'était elle, par délicatesse. D'ailleurs, elle a bien pris la chose : elle venait de faire la connaissance de Cyrille, et, pour elle, ce fut le coup de foudre... J'en reviens à ce que je vous disais : donc, Fabrice a décidé de faire le bonheur de Salomé. C'est ce jour-là, chez moi, qu'est né l'idée du « pieux mensonge » : tous deux feraient semblant d'avoir renoué et de vouloir se marier. Fabrice estimait que c'était le seul moyen de rendre Cyrille jaloux, et, par là, de l'inciter à montrer ses sentiments. Alors, ce furent les soirées où Fabrice et Salomé apparaissaient ensemble, main dans la main...

Sophie se taisait, songeuse. Elle revoyait le regard qu'avaient échangé Fabrice et Salomé, le premier soir, au Queen Victoria : la soudaine tristesse de la jeune femme s'expliquait. Et l'ostentation qu'ils mettaient à être toujours l'un près de l'autre, et la gaieté factice de Salomé... Une seule fois, celle-ci avait paru réellement heureuse : lorsqu'elle avait parlé de Cyrille, un matin, à Deauville. Sans doute, ce jour-là, avait-il été plus tendre envers elle que d'habitude... Brusquement, la jeune fille se souvint du soir où tous les quatre étaient revenus de la Rochemithois : dans la voiture, elle avait eu une intuition. Elle avait pressenti que quelque chose « n'allait pas ». C'était donc cela : les rapports de Fabrice, de Salomé et de Cyrille.

Elle eut un soupir de soulagement. Salomé n'était donc pas sa rivale...

Aussitôt, une autre idée la glaça. Que Fabrice ne fût pas amoureux de Salomé était une chose. Mais cela ne changeait rien à son indifférence envers Sophie.

Dès que Cécile l'eut quittée pour aller retrouver Luc-Alban, elle décida d'avoir une explication avec Salomé. Elle chercha cette dernière au bord de la piscine, mais un domestique lui dit qu'elle se trouvait dans sa chambre.

Sophie frappa à la porte et, Salomé l'ayant invitée à entrer, elle pénétra dans une pièce de style mauresque, où des arcades bleues et blanches évoquaient une mosquée. Chose étrange, cette chambre n'était pas aussi ridicule que le reste de la villa. Cela tenait au fait que, pour une fois, le décor s'harmonisait assez bien avec celle qui l'occupait en ce moment.

La jeune fille alla s'asseoir sur un pouf marocain, près du divan de fourrures où Salomé était étendue, fumant une de ses cigarettes turques : les mêmes que Cyrille, nota Sophie pour la première fois. Ce petit détail lui avait échappé. D'un trait, elle rapporta à son amie l'entretien qu'elle venait d'avoir avec Cécile.

Salomé la laissa à peine finir son récit :

— Mais tu es complètement folle! s'écria-t-elle. Pourquoi ne m'as-tu pas dit plus tôt que tu aimais Fabrice? Je t'aurais expliqué la situation... Et même, j'aurais dû le faire, de toute manière. Quand je pense que tu as souffert par ma faute! Je ne me le pardonnerai jamais!

— Tu n'as rien à te reprocher, Salomé. En somme, si j'ai si bien cru à cette comédie du

« pieux mensonge », c'est parce que cela m'arrangeait, au fond, que Fabrice soit amoureux d'une autre : cela expliquait son indifférence envers moi.

Salomé écrasa nerveusement sa cigarette dans le cendrier de cuivre :

— Non, fit-elle, je ne te permets pas d'être aussi cruelle envers toi-même.

— Quelle importance ? Au point où j'en suis...

— Souviens-toi de ce que je t'ai dit un jour : il ne faut jamais désespérer. Moi, il y a dix ans que j'attends...

Elle ajouta, avec un rire forcé :

— L'amour donne lieu à de ces malentendus ! J'ai été assez aveugle pour ne pas m'apercevoir de tes sentiments pour Fabrice, et toi, tu n'as pas compris que j'aimais Cyrille.

— Tu sais, dit Sophie, je devine ce que tu peux ressentir. Je t'admire d'avoir su garder courage, depuis tout ce temps. Moi, j'ignore si j'en aurais la force... Cyrille m'a dit une fois que tu avais une volonté peu commune. Il est fasciné par toi, c'est évident.

— Je sais, mais cela ne suffit pas. Cela ne s'appelle pas de l'amour. Enfin, on verra. Cyrille est tellement imprévisible... Mais assez parlé de moi. Et toi, que comptes-tu faire ? Tu veux que j'aille voir Fabrice ?

Sophie hésita, puis finit pas répondre :

— Tu es très bonne, mais je pense que ça ne servirait à rien. Il ne m'aime pas, voilà tout. Il faudra que je m'y fasse.

— Ce n'est pas sûr. D'abord, Fabrice est quelqu'un de très secret. On ne peut pas savoir, avec lui. Et puis, tu as tout pour lui plaire.

— Il t'a parlé de moi ?

— Oui, au début. Il ne m'a pas fait ses confidences, mais il désirait te revoir... Ensuite, plus rien.

Cette dernière phrase, Sophie avait eu tout le temps de la méditer, en rentrant à Paris. Elle avait eu beau y réfléchir, elle ne comprenait pas la raison de ce revirement de Fabrice. Salomé, à qui elle avait demandé des précisions, n'avait pas été capable d'y voir plus clair.

Puis, avec son habitude de passer d'un sujet à l'autre, la jeune femme s'était montrée choquée de l'arrivée d'Estelle à la villa :

— Il me semble, avait-elle dit à Sophie, que sa place devrait être plutôt auprès de tante Bérengère, avec les difficultés que traverse en ce moment le Queen Victoria.

— Peut-être désirait-elle demander conseil à Fabrice?

— Dans ce cas, elle a mêlé l'utile à l'agréable!

— Que veux-tu dire? avait interrogé Sophie.

— Tu l'ignorais? Estelle est la maîtresse de Luc-Alban.

— Oh... Et lui qui m'a fait la cour... Remarque, j'y ai mis fin.

— Eh bien, avait répliqué Salomé avec philosophie, j'espère qu'elle sera plus aimable avec toi, à l'avenir.

CHAPITRE XII

SOPHIE ouvrit la boîte aux lettres en retournant chez elle. Depuis plusieurs jours qu'elle avait regagné Paris, elle était sans nouvelles de Fabrice et elle guettait le moindre signe de vie venant de lui.

Elle découvrit avec surprise une lettre et un colis posté de Paris.

Rentrée dans son studio, elle décacheta fébrilement l'enveloppe : comme elle s'y attendait, c'était Colette Florent qui lui écrivait pour lui donner de ses nouvelles. Elle venait d'entrer en clinique et l'opération aurait lieu le soir même. La jeune femme paraissait folle de joie et promettait de téléphoner à Sophie dès que tout serait terminé. « Vivement ce soir, que je sache comment ça c'est passé » se dit Sophie.

Elle s'avisa soudain qu'elle avait oublié le colis. Quand elle en eut découvert le contenu, elle ne put retenir un cri de surprise. Dans un magnifique écrin de maroquin rouge, elle vit un ravissant bracelet d'or incrusté de fines turquoises. Il semblait fait pour elle, avec sa délicatesse tout en fraîcheur.

La lettre qui l'accompagnait était signée de Bérengère.

« Ma petite Sophie,

» Je vous avais annoncé une surprise lors de notre dernière conversation. J'espère avoir bien tenu ma promesse.

» Ce bijou m'avait été offert pour mes dix-huit ans par un de mes oncles, missionnaire au Tibet. C'est une pièce d'orfèvrerie ancienne qui a appartenu à la reine du Ladakh. J'ai toujours pensé vous l'offrir, mais j'en attendais l'occasion.

» Vous me feriez tant plaisir, si vous le portiez pour la soirée que je donne pour mon anniversaire, vendredi prochain.

» Je vous embrasse,

Bérengère Albert-Lassalle. »

Sophie était bouleversée par le geste de la vieille dame. La grand-mère de Fabrice était bien la fée-marraine qu'elle avait imaginée.

Aussitôt, elle téléphona au Queen Victoria pour la remercier.

Un domestique lui répondit :

— Madame est absente, Mademoiselle. Voulez-vous laisser un message?

— Je préférerais rappeler plus tard, si c'est possible.

— Bien sûr. Mais je ne peux malheureusement vous dire à quelle heure elle rentrera.

Lorsque Sophie raccrocha, elle se sentit un peu désemparée. Il n'était pas dans les habitudes de la vieille dame de sortir de chez elle tard le soir. Se passait-il quelque chose d'anormal?

Perplexe, elle alluma la radio en songeant qu'un peu de musique la distrairait. Le poste diffusait une vieille chanson des Beatles. Elle réfléchit quelques instants, mais la solution ne lui apparaissait toujours pas.

Elle en était là de ses conjectures, quand la sonnerie du téléphone retentit.

C'était une voix de femme.

— Mademoiselle, je vous appelle de la part de Mme Florent. Je suis son infirmière. L'opération s'est bien passée.

— Alors elle pourra avoir des enfants? interrogea Sophie avec émotion.

— Bien sûr. Autant qu'elle en voudra. Elle vous le dira elle-même dès qu'elle ne sera plus sous anesthésie.

Sophie était tellement soulagée qu'elle en avait presque oublié ce qui l'intriguait. D'une oreille distraite, elle écouta une chanson folklorique chypriote que diffusait la radio. Une série de flashes d'information interrompirent le programme musical.

Soudain, elle se fit plus attentive. Le speaker venait de prononcer le nom de Queen Victoria. Elle ne put saisir que la fin de la phrase : « ... cette O.P.A. met en danger l'existence du célèbre palace. » Le speaker aborda ensuite la politique étrangère.

Sophie éteignit le poste, inquiète. Elle ne savait pas ce que signifiait cette expression de O.P.A., mais elle avait compris qu'elle désignait la fameuse manœuvre financière qui avait tant préoccupé Fabrice et sa grand-mère. Cela expliquait sans doute son absence à l'hôtel quelques minutes plus tôt.

Un coup de sonnette la fit tressaillir. D'un bond, elle se leva et alla ouvrir la porte.

— Tiens, c'est toi, Salomé.

— Qu'est-ce que tu as, Sophie? Tu sembles nerveuse? C'est à cause de Fabrice?

— Oui et non. Tu as écouté la radio?

— Il se passe quelque chose de grave? fit-elle avec inquiétude.

— On a parlé d'une O.P.A. pour le *Queen Victoria.*

Salomé blêmit :

— Tu sais ce que ça veut dire?

— Non, justement, répondit Sophie.

— Offre publique d'achat. Cela implique qu'une personne, ou une société, essaie de racheter les actions du Queen Victoria pour en prendre le contrôle.

— Le Queen Victoria est en difficulté?

— Non. Les actions ont subi une baisse à la Bourse, et je comprends maintenant pourquoi. Celui qui lance une O.P.A. a tout intérêt à racheter les actions au cours le plus bas possible. Il n'a pas hésité à provoquer une baisse artificielle.

— La fameuse baisse de vingt-cinq pour cent dont m'a parlé Bérengère Albert-Lassalle! murmura Sophie.

— Le danger de cette opération, c'est l'éviction de la famille Albert-Lassalle à la tête du palace.

Salomé avait l'air très anxieuse. Elle reprit :

— Tu n'as pas entendu le nom de l'acheteur?

— On ne l'a pas cité. Mais tu te rappelles ce que nous avait dit Fabrice, au château de la Rochemithois? Il pensait que ça ne pouvait être que quelqu'un de très proche de la famille.

— Alors qui? fit Salomé. Cyrille? Son meilleur ami? C'est impensable! Il est la loyauté même et les histoires d'argent le laissent complètement froid; c'est son côté slave.

— Et Luc-Alban? Tu m'as dit toi-même que c'était un requin et aussi un génie financier...

Salomé secoua la tête :

— C'est vrai, mais je ne crois pas. Il n'est pas

assez proche de Fabrice pour être au courant de la gestion du Queen Victoria. Pourtant, je suis sûre que c'est quelqu'un que nous connaissons, ajouta-t-elle. Delmont, l'homme de confiance des Albert-Lassalle, peut-être? Non, Fabrice lui-même a dit qu'il ne le soupçonnait pas. Alors, Thibaut de la Rochemithois? J'ai du mal à l'imaginer en train de manœuvrer à la Bourse, lui qui n'a aucun sens des affaires.

— Moi non plus, je ne vois pas qui ça peut être, répondit Sophie.

— Et si nous allions sur place aux renseignements? J'ai ma voiture en bas. Viens, je t'emmène au Queen Victoria.

Quand elles arrivèrent à l'hôtel, elles eurent la surprise de rencontrer Cyrille qui accourait au-devant d'elles.

— Salomé, enfin! Je te cherchais partout! s'exclama-t-il.

Il lui saisit les mains avec effusion et Sophie put voir les yeux de son amie se remplir de larmes.

D'une voix rauque qui dissimulait mal son émotion, la jeune femme essaya de plaisanter :

— Que se passe-t-il, Cyrille? Je te manquais?

— Mais tu me manques toujours, lorsque tu es absente, fit-il avec un détachement qui sonnait faux. Sophie est témoin. Est-ce que je ne parle pas de Salomé quand elle n'est pas là?

Sophie s'adressa à Salomé :

— Salomé, tu n'as pas compris que l'attitude de Cyrille, sa désinvolture envers toi n'étaient dues qu'à la pudeur?

Salomé se mordit les lèvres et murmura :

173

— Je voudrais te croire.

Cyrille, interloqué, fit d'une voix grave :

— Mais, Salomé, il y a dix ans que j'attendais cela!

Dans un même élan, ces deux êtres qui s'étaient aimés si longtemps sans oser se l'avouer, et qui avaient poussé la pudeur jusqu'à se traiter en simples camarades, tombèrent dans les bras l'un de l'autre.

Sophie se réjouit de ce bonheur qui venait d'échoir à deux de ses amis les plus chers. Mais ce qui la bouleversait, en même temps, c'était l'idée qu'elle ne connaîtrait jamais rien de semblable. L'homme qu'elle aimait ne l'aimait pas.

Tous trois étaient bien trop émus pour remarquer l'arrivée du petit groom qui demanda à Salomé, d'une voix étranglée :

— Est-ce que c'est vrai, ce qu'on raconte, Mademoiselle? Les Albert-Lassalle ne seront plus nos patrons?

— Non, je n'en sais pas plus que toi, lui dit-elle. Elle interrogea Cyrille : Et toi, tu as appris quelque chose?

— Je sais seulement qu'une O.P.A. a été lancée. Mais je me demande bien de quel côté ça vient, répondit-il.

— Le mieux que nous puissions faire est d'attendre le retour de Fabrice, dit Sophie.

Il s'écoula quelques minutes qui leur parurent une éternité. Enfin, Fabrice fit son entrée dans le hall. Son visage était encore plus grave que de coutume.

— Alors, c'est la catastrophe? demanda Cyrille.

Fabrice posa un instant les yeux sur Sophie, puis, très vite, son regard se détourna. S'adressant

174

exclusivement à Cyrille et à Salomé, il s'expliqua :

— Non, tout est arrangé. L'O.P.A. a échoué. L'acheteur qui nous menaçait n'a pas pu réunir un nombre d'actions suffisant. Comme je me doutais depuis très longtemps de qui il s'agissait, j'ai contre-attaqué.

Il avait prononcé cette phrase d'un ton bref et décidé. Sophie reconnut en lui un homme qui ne s'était jamais laissé abattre et qui avait su faire face aux événements. Devant les obstacles qu'on avait semés devant lui, il avait été stimulé par la difficulté de la tâche et il avait su vaincre. Elle l'en admira davantage. Pourtant, elle ne comprenait pas ce qui le rendait si soucieux, alors qu'il avait toutes les raisons de se réjouir.

Elle lui demanda d'un ton fébrile :

— De quelle manière vous êtes-vous défendu?

Il fit comme s'il n'avait pas entendu la question. Ce fut vers Salomé qu'il se tourna pour répondre :

— J'ai semé des contre-rumeurs à la Bourse. Ainsi, j'ai pu discréditer celui qui avait manigancé notre perte. Lorsqu'il s'est présenté pour racheter leurs parts aux actionnaires du *Queen Victoria,* ceux-ci se méfiaient trop de lui pour accepter son offre.

Salomé lui coupa la parole :

— Mais vas-tu nous dire enfin de qui il s'agit?

— Tu ne devines pas?

— Tu joues avec nos nerfs, fit-elle.

Fabrice expliqua alors :

— C'était celui qu'on pouvait le moins soupçonner. Quelqu'un qui aurait pu être un très grand comédien, s'il l'avait voulu. Quelqu'un qui a poussé le raffinement jusqu'à s'introduire chez nous petit à petit, sans que nous nous en rendions compte.

J'ai mis longtemps à deviner son jeu, d'autant plus qu'il s'était créé un personnage apparemment inoffensif. Il a eu assez d'intelligence pour se faire passer pour un naïf... C'était Luc-Alban du Verger. Il a acheté la galerie de tableaux dans un seul but : avoir ses entrées chez nous, en voisin.

— Mais pourquoi voulait-il le Queen Victoria? lui demanda Cyrille.

— D'abord, parce que ça représente une énorme fortune immobilière. Et, ensuite, parce qu'il voulait reconvertir l'hôtel en palais privé. Ce parvenu mégalomane rêvait d'imiter le prince d'il y a cent ans.

Salomé fit remarquer à Fabrice :

— Il te haïssait, j'en suis sûre. Il était jaloux de toi, et de tout ce que tu représentais. Au fond, il savait qu'il ne serait jamais un homme du monde... Elle ajouta après un silence : Mais, tout de même, il y a une chose qui m'étonne. Comment a-t-il pu être au courant de la gestion du Queen Victoria? Vous étiez gentils avec lui, mais vous ne l'avez jamais vraiment admis parmi vous.

— Il avait une complice. Estelle, ma belle-mère.

Quelques minutes plus tard, quand Fabrice eut achevé son récit, Cyrille prit la parole avec un air solennel :

— Fabrice, ce que je vais te dire n'a pas grand-chose à voir avec tous ces événements, mais je tiens à ce que tu sois le premier à connaître la grande nouvelle.

En parlant, il s'était rapproché de Salomé et il lui avait enlacé la taille. Dans un geste d'une ampleur théâtrale, il proclama :

— Salomé et moi, nous sommes fiancés!

— Quoi? s'exclama Fabrice.

— Que dis-tu? murmura Salomé en même temps.

— Nous n'avons que trop tardé, répondit Cyrille. Il est temps que tombent les masques et que nous osions enfin être heureux.

Fabrice saisit alors Cyrille par le bras et attira Salomé contre lui :

— Je suis tellement heureux de ce que vous m'apprenez... Il y avait dix ans que j'attendais cela!

Puis, d'un même élan, les deux amoureux allèrent embrasser Sophie. Cette dernière partageait la joie générale, et pourtant l'attitude de Fabrice, qui ne lui avait pas encore adressé la parole, l'empêchait de goûter pleinement ce moment.

Salomé s'écria :

— Viens, Cyrille, allons à la rencontre de tante Bérengère, pour lui faire part de notre décision.

Après leur départ, Fabrice, resté seul dans le hall avec Sophie, se tourna vers celle-ci.

— Quant à vous, je ne veux plus vous voir, lâcha-t-il.

Foudroyée par ces paroles, Sophie resta sans voix. Livide, elle le fixait sans pouvoir prononcer un mot. En elle, la stupeur le disputait à la consternation.

A ce moment, un pas se rapprocha dans le vestibule et, bientôt, Bérengère Albert-Lassalle fit son entrée.

— Mes chéris, vous connaissez la grande nouvelle? Cyrille et Salomé...

Fabrice lui coupa la parole avec impatience :

— Oui, Bonne-Maman, je sais. Si vous voulez bien m'excuser...

Il s'écarta pour se diriger vers la sortie, mais la vieille dame le retint d'une main ferme :

— Qu'est-ce qui te prend, Fabrice?

Puis, se tournant vers la jeune fille :

— Vous êtes au courant, pour l'O.P.A.? Mon Dieu, quelle journée!

— Madame, commença Sophie en évitant le regard de Fabrice, je voulais vous remercier pour le magnifique cadeau que vous m'avez offert.

— Oh, ce n'est rien, fit Bérengère, je suis heureuse que ce bracelet vous plaise.

— En somme, dit Fabrice, tout est bien qui finit bien.

Et, sans un mot de plus, il quitta la pièce.

Rentrée chez elle, Sophie s'abattit sur son lit sans pouvoir réfréner ses larmes. Certes, la vieille dame lui avait adressé des paroles de consolation, mais elle savait que, pour elle, tout était perdu.

Nerveusement, elle ouvrit la lettre que lui avait remise le concierge quand elle avait traversé le vestibule de l'immeuble.

« Chère Sophie,

» Me permettez-vous de vous appeler encore ainsi? Dans ce palais que je convoitais, vous auriez pu être la reine, si vous l'aviez voulu. Mais le destin et votre cœur en ont disposé autrement. Comme dans les grandes tragédies grecques, celui que vous aimez a été l'instrument de ma perte. Vous eussiez été la compagne idéale de ma destinée, et, bien qu'Estelle s'en doutât et s'en montrât fort chagrine, elle n'a point hésité à me rejoindre en cette villa de Saint-Jean où j'eusse tant désiré vous revoir. J'ai toujours méprisé les proverbes qui, par nature, sont populaires. Toutefois, il y en a un qui, hélas, peut s'appliquer à mon cas : « Faute de grives, on mange les merles. »

» J'ai l'honneur de déposer mes respectueux mais nostalgiques hommages à vos pieds,

Luc-Alvan du Verger »

A la lecture de la lettre, Sophie ne put s'empêcher de rire de ce style ampoulé qui ressemblait tant à la personnalité de celui qui en était l'auteur. Jusqu'au bout, il avait été pitoyable et ridicule.

Quant à elle, elle connaissait le supplice d'une passion sans espoir.

ÉPILOGUE

CE jeudi-là était la veille de la soirée d'anniversaire de Bérengère Albert-Lassalle. Une semaine s'était écoulée depuis l'échec de l'O.P.A. et la fuite de Luc-Alban du Verger, une semaine qui avait paru une éternité à Sophie. En effet, pendant ces huit jours, elle avait reçu des nouvelles de tous, sauf du seul être qui lui importât : Fabrice. Plus le temps passait, plus elle jugeait préférable de ne pas assister à cette fête, qui lui aurait tant fait plaisir en d'autres circonstances. Il était au-dessus de ses forces de revoir Fabrice, après ce qu'il lui avait dit. Il avait coupé les ponts d'une manière qui excluait toute ambiguïté et elle était trop fière pour avoir l'air de quémander un sourire de celui qui l'avait repoussée.

Elle était rentrée du magasin plus tard que de coutume, car on commençait à préparer la collection d'hiver, qui serait présentée en juillet aux professionnels de la mode. Elle avait dépensé toute son énergie dans ce travail, pour ne pas donner prise à la détresse qui menaçait de l'étreindre. Peine perdue : elle était arrivée chez elle lasse et tout aussi désemparée. Sans cesse le visage de Fabrice se superposait devant ses yeux. Quoi qu'elle fît, elle ne pouvait oublier. Elle avait donné le meilleur d'elle-même dans cette première grande passion, qui serait aussi la dernière. Elle avait assez de lucidité pour savoir qu'elle ne serait plus capable d'éprouver un tel amour pour un autre homme. Le tourbillon qui avait emporté son cœur l'avait laissée irrémédiablement meurtrie.

Il y avait déjà une demi-heure qu'elle tournait en rond dans son studio en cherchant que faire. Elle prit un livre au hasard dans l'étagère qui surplombait son lit : *la Nouvelle Héloïse*. Elle tenta de s'absorber dans les démêlés sentimentaux de Julie et de Saint-Preux, sans grand succès. Elle était irritée par la façon dont le romancier parlait de l'amour. Tout sonnait faux, depuis les circonvolutions enflées du style jusqu'à la psychologie à la fois sommaire et affectée des personnages.

D'un geste sec, elle referma le livre. Ce petit mouvement de colère lui imprima comme un sursaut d'énergie. Cette situation ne pouvait s'éterniser... Une idée jaillit dans son esprit. Elle n'avait jamais osé y penser, par amour-propre. Pourtant, maintenant, il fallait agir.

Puisque Fabrice n'avait pas voulu s'expliquer, ce serait elle qui essaierait de savoir ce qui avait provoqué chez lui une animosité aussi violente. Elle ne pouvait plus supporter une telle incertitude, qui ne faisait qu'accroître son désarroi.

D'une main mal assurée, elle composa le numéro de téléphone du Queen Victoria. Ce fut Fabrice en personne qui lui répondit.

— Tiens, Sophie, c'est vous, fit-il avec une impassibilité qui la mit mal à l'aise.

Elle se jeta à l'eau :

— Je suis donc une étrangère, pour vous?

— Exactement.

C'était dit avec hargne. Mais il ne raccrocha pas. Aussi ne perdit-elle pas tout espoir. Elle sentait que c'était la dernière occasion de dissiper le malentendu qui l'opposait à Fabrice. Il semblait la détester, la mépriser...

— Fabrice, reprit-elle d'une voix suppliante, je voudrais qu'au moins il n'y ait pas de haine entre nous.

Il eut un rire grinçant :

— Voyez-vous ça! persifla-t-il. Cela, ma chère, aurait été possible si vous aviez agi différemment.

— Que voulez-vous dire?

— Vous comprenez fort bien.

— Mais d'où vous vient cette rancœur, Fabrice? A cause de mon attitude envers Luc-Alban?

— En affichant une liaison avec cet homme, vous avez tout gâché.

— Mais... commença-t-elle.

Il l'interrompit durement :

— Ne faites pas l'innocente. Je suis parfaitement au courant.

— De quoi pouvez-vous être au courant, puisqu'il ne s'est rien passé?

— Estelle m'a tout dit.

— Entre sa parole et la mienne, je vois que vous préférez celle de votre belle-mère!

Insensiblement, elle avait haussé le ton.

— Et d'abord, poursuivit-elle, que vous a-t-elle raconté? Je serais bien curieuse de le savoir.

Il éluda :

— Laissons cela, c'est inutile.

— Non, fit-elle avec une violence contenue, il faut que nous nous expliquions maintenant ou jamais. Estelle est la maîtresse de Luc-Alban et sa

complice, et vous le savez aussi bien que moi!
Comment avez-vous pu ajouter foi à ses paroles?
C'était la jalousie qui l'inspirait, et vous auriez pu
vous en douter!

— Mais, précisément, Sophie. Cette jalousie
était fondée. Ne le niez pas, il y a eu quelque chose
entre vous et Luc-Alban...

— Non, rien, jamais, protesta Sophie avec une
rage désespérée. C'est lui, et lui seul, qui a tout
fait pour se rapprocher de moi.

— Vous l'avez bien encouragé...

— Au contraire : j'ai tenu à clarifier les choses
avec lui et je ne lui ai pas laissé le moindre doute.

— Vous m'étonnez beaucoup, dit-il d'un ton
neutre.

Et, sans lui laissser le temps de répondre, il
raccrocha.

Une demi-heure plus tard, Sophie était encore
sous le choc de ce qui venait de se produire. Elle
avait irrémédiablement laissé échapper la seule
chance de ne pas perdre contact avec Fabrice.
Malgré toute la force de persuasion de sa sincérité,
il ne l'avait pas crue. De simples calomnies avaient
suffi à le détourner d'elle.

Brusquement, un coup de sonnette la tira de sa
rêverie morose. Machinalement, elle alla ouvrir.

C'était Fabrice.

— Sophie, je vous dois des excuses, fit-il précipi-
tamment.

— Alors, vous me croyez, maintenant?

Le visage de Sophie s'était illuminé en disant ces
mots.

— Depuis toujours, je n'ai demandé qu'à vous

croire, avoua-t-il avec émotion. J'ai tellement souffert, lors du vernissage, quand je vous ai vue vous jeter à la tête de ce type!

Elle le regarda, incrédule : il tenait donc un peu à elle! Cependant, elle répliqua sans pouvoir dissimuler son amertume :

— Ce même soir, Fabrice, vous êtes arrivé en tenant Salomé par la taille, et c'est pour cela, figurez-vous, que je suis allée vers Luc-Alban!

— Mais, Salomé et moi, ce n'était qu'un jeu destiné à provoquer la jalousie de Cyrille...

Elle l'interrompit :

— Un jeu auquel vous avez pris plaisir. A tel point que vous n'avez pas jugé bon de m'en avertir! Pour vous, je n'étais qu'une spectatrice parmi d'autres, et peu vous importaient mes sentiments.

Un sourire sans gaieté se dessina sur les lèvres de Fabrice. Il répondit en détachant chacun de ses mots :

— Au contraire, Sophie, dès le début j'ai voulu vous prévenir. C'est votre comportement avec Luc-Alban qui m'en a dissuadé. Puisque sa compagnie semblait vous plaire, j'ai préféré me taire et vous laisser croire que j'aimais Salomé.

A peine avait-il prononcé ces paroles, qu'il fit un pas vers elle et tenta de la prendre dans ses bras. Elle eut un mouvement de recul.

— Non, ce serait trop facile, murmura-t-elle.

Il la scruta avec un étonnement douloureux et elle baissa les yeux. Comment lui faire comprendre que chacune de ses tentatives pour la troubler l'avait tellement fait souffrir? Il était grand temps que cesse cette comédie cruelle. Elle l'aimait trop pour se contenter de n'être, pour ce don Juan, que l'une de ses conquêtes.

Elle reprit :

— Fabrice, je préfère qu'il n'y ait rien entre nous.

— Sophie...

Elle le coupa :

— Laissez-moi poursuivre : d'autres que moi se sentiraient flattées que vous vous intéressiez à elles, et elles se remettraient vite, une fois que vous les auriez délaissées. Mais moi...

— Qui vous parle d'une simple aventure entre nous?

— Mais toute votre vie, Fabrice. Vous allez d'une femme à l'autre sans jamais vous attacher à aucune d'entre elles!

— Quelle folie! s'exclama-t-il. J'ai eu des passades, comme tout le monde. Et si j'ai la réputation d'un séducteur, je n'en n'ai pas le caractère, en tout cas. A travers toutes ces femmes que j'ai eues, je recherchais un idéal unique.

Cet aveu poignarda Sophie :

— Oui, répondit-elle lentement. Je comprends ce que vous voulez dire. Votre grand-mère m'a confié qu'à votre façon, vous étiez fidèle à une seule femme : la première, la seule que vous ayez aimée.

— C'est vrai, Sophie. Ou plutôt, ce sera vrai. Car je n'avais jamais connu de véritable amour, jusqu'au jour où je vous ai rencontrée. Et toute ma vie, je n'ai fait que poursuivre une image que j'ai brusquement trouvée un soir, dans la rue, alors que je sortais de chez moi. Et cette femme, c'était vous.

Ainsi, à l'instant même où Sophie s'était retournée vers lui, subjuguée dès le premier regard, il avait éprouvé le même coup de foudre!

Sans un mot, il tendit les bras vers elle, au

moment précis où elle s'élançait vers lui. Et, à la même seconde, leurs lèvres s'unirent, en un baiser fervent.

Leur étreinte dura longtemps, dans un éblouissement aux couleurs de l'éternité. Sophie avait oublié et le passé, et le temps et le monde qui, tel l'océan, refluait loin d'elle.

— Je t'aime, murmura-t-il simplement.

Elle leva vers lui ses yeux embués de larmes :

— Fabrice, je n'ai jamais aimé que toi, trouva-t-elle la force de lui répondre.

Quand Sophie et Fabrice arrivèrent ensemble à la soirée d'anniversaire de Bérengère, celle-ci prit à témoin Cyrille et Salomé :

— Regardez, leur dit-elle en désignant les deux amoureux. On n'aime qu'une fois, la première!

Sophie et Fabrice échangèrent un sourire où se lisait leur passion.

Au doigt de Sophie brillait de mille feux scintillants le diamant que Fabrice venait de lui offrir en symbole de leur bonheur.

NOUVEAU

En plus des trois romans contemporains que vous avez l'habitude d'acheter chaque mois, chez votre libraire,

A PARTIR DE FÉVRIER 1980

la collection Turquoise lance une nouvelle série de romans d'amour ayant pour cadre le passé. Vous les reconnaîtrez à leur couverture blanche et à leur titre doré.

Une femme, un homme, dans la tourmente de l'Histoire

Les belles histoires d'amour de la collection Turquoise vous feront côtoyer libertins et capitaines, folles marquises et ingénues romantiques, châtelains ténébreux et princes en perdition. Vous vivrez avec les héroïnes de la collection Turquoise ces passions impétueuses qui n'appartiennent qu'au passé.

L'INCONNU AU CŒUR FIER

Nabeul, la mer, le soleil, les palmiers...
Laurence avait longtemps rêvé
à ces vacances tunisiennes.
Le vent
chargé de la senteur lourde des jasmins
était une invite à l'oisiveté.
Mais une rencontre suffit
à détruire la paix de son cœur
et à bouleverser sa vie.
La jeune parisienne
saura-t-elle conquérir l'amour de Louis,
prisonnier de ses secrets douloureux?
Parviendra-t-elle
à déjouer les pièges qui lui sont tendus?
Pour cela,
il lui faudra déchirer le voile d'hostilité
qui la sépare de celui qu'elle aime.

Achevé d'imprimer
le 15 mars 1980
sur les presses de
Métropole Litho Inc.
Anjou, Québec - H1J 1N4